ALIMENTOS SALUDABLES

50 ALIMENTOS QUE CAMBIARÁN SU VIDA

This edition published by Parragon Books Ltd in 2014 and distributed by:

Parragon Inc.
440 Park Avenue South, 13th Floor
New York, NY 10016, USA
www.parragon.com/lovefood

LOVE FOOD is an imprint of Parragon Books Ltd

ISBN: 978-1-4723-5762-5

Impreso en China/Printed in China

Fotografía: Clive Streeter
Información nutricional: Judith Wills

Traducción: Míriam Torras para Delivering iBooks & Design
Redacción y maquetación: Delivering iBooks & Design, Barcelona

Notas:
En este libro las medidas se dan en los sistemas métrico e imperial. Cuando el nombre de algún ingrediente varía de una región
del ámbito hispánico a otra, se ha procurado ofrecer las variantes. Se considera que 1 cucharadita equivale a 5 ml y 1 cucharada,
a 15 ml. Si no se da otra indicación, la leche será siempre entera; la mantequilla, con sal; los huevos, grandes; las verduras u hortalizas,
de tamaño medio, y la pimienta, negra y recién molida. Si no se da otra indicación, lave y pele las hortalizas de raíz antes de añadirlas
a las recetas.

Para obtener mejores resultados, compruebe la temperatura de la carne con un termómetro de cocina.

Las guarniciones y sugerencias de presentación son opcionales y no siempre se incluyen en la lista de ingredientes o la preparación.

Los tiempos indicados son orientativos. Los tiempos de preparación pueden variar de una persona a otra según su técnica culinaria;
asimismo, también pueden variar los tiempos de cocción. Los ingredientes opcionales, las variaciones y las sugerencias de
presentación no se han incluido en los cálculos.

Las recetas que llevan huevo crudo o poco hecho no están indicadas para niños, ancianos, mujeres embarazadas ni personas
convalecientes o enfermas. Se recomienda a las mujeres embarazadas o lactantes que no consuman cacahuetes ni productos derivado
Las personas alérgicas a los frutos secos deberán omitirlos en las recetas que los lleven. Lea con atención el envase de los productos
antes de consumirlos.

Los vegetarianos deben tener en cuenta que algunos de los productos preparados que se utilizan en estas recetas pueden contener
ingredientes de origen animal. Se recomienda leer con atención la lista de ingredientes de dichos productos.

ÍNDICE

INTRODUCCIÓN

Para disfrutar de una vida longeva y saludable basta con adoptar algunos hábitos sencillos que mejorarán el rendimiento del cuerpo y el cerebro. Según los expertos, el secreto de una vida saludable es una cuestión de sentido común: buenos hábitos, dieta equilibrada y ejercicio físico. Seguir una dieta rica en alimentos saludables constituye una manera fácil de mejorar por dentro y por fuera.

Los 50 alimentos más saludables
La teoría de que algunos alimentos ejercen un efecto duradero en nuestra salud y nuestro bienestar no es nueva.

Hace más de dos mil años Hipócrates, el padre de la medicina moderna, escribió acerca de la relación entre dieta y salud, y hoy día, cada vez más médicos y dietistas recomiendan determinados alimentos para prevenir y tratar enfermedades como cáncer, cardiopatías, alzhéimer, apoplejía y cataratas, entre muchas otras.

Todos los alimentos tienen nutrientes, pero algunos contienen niveles particularmente elevados de una determinada vitamina, mineral, ácido graso esencial o fitonutriente con eficacia probada para mejorar algún aspecto de la salud o el bienestar.

Dichos alimentos son de lo más variados, pero la mejor elección son los ingredientes de origen vegetal como frutas y hortalizas, cereales integrales, legumbres, frutos secos y semillas.

Estas páginas reúnen los 50 alimentos más saludables, que no únicamente mejoran nuestra salud sino que son asequibles, no requieren grandes elaboraciones y enriquecen nuestra dieta cotidiana. En cada caso se detalla información completa sobre sus propiedades nutricionales, así como consejos sobre la preparación y la conservación.

Propiedades

• Algunos alimentos, por ejemplo los arándanos, el pimiento rojo y la naranja, contienen vitaminas y antioxidantes que neutralizan el daño celular.

• Las verduras, entre ellas el brécol, la col rizada y los berros, contienen nutrientes de origen natural, llamados fitonutrientes, que bloquean el crecimiento de las células cancerígenas.

• Otros ingredientes, como el ajo y la cebolla, se consideran muy saludables porque refuerzan el sistema inmunológico al aumentar la resistencia natural del cuerpo ante enfermedades e infecciones.

- El pescado azul (salmón, atún fresco, caballa, sardinas…) aporta muchos beneficios. Los ácidos grasos omega-3 que contiene previenen cardiopatías y son antiinflamatorios, por lo que pueden aliviar los síntomas de afecciones como la artritis reumatoide.

- Los estudios también demuestran que una dieta rica en pescado azul mejora la concentración de niños y adultos. Aunque no les hará más inteligentes, les ayudará a concentrarse y a aumentar el rendimiento intelectual.

- Muchas hierbas y especias también resultan muy saludables. La canela, por ejemplo, que es un ingrediente habitual en muchos postres, ayuda a bajar el colesterol malo y mejora los niveles de glucosa en sangre. Además, sus propiedades antiinflamatorias y antibacterianas combaten las infecciones.

Elección de los ingredientes

Pese a sus increíbles propiedades, los alimentos que contienen compuestos saludables no tienen por qué ser caros o exóticos, por ejemplo muchas de las frutas y hortalizas que consumimos habitualmente, como zanahoria, remolacha, manzana, lentejas y tomate. Esto quiere decir que para llevar

una dieta sana y equilibrada no hace falta gastar mucho dinero ni buscar ingredientes insólitos en tiendas de dietética: basta con aumentar el consumo de los ingredientes que mejor sientan.

Expertos de todo el mundo avalan la teoría de las propiedades longevas y saludables de algunos alimentos. Diferentes estudios apuntan a que una dieta adecuada incluso podría contrarrestar los efectos negativos del tabaco, la falta de ejercicio y el estrés de la vida moderna, y que algunos ingredientes podrían ser la respuesta a afecciones habituales como indigestión, jaqueca y falta de vitalidad. Aunque pudiera parecer que la alternativa más rápida para poner la dieta a punto sería tomar suplementos de vitaminas cada mañana, muchos de estos alimentos contienen un cóctel de ingredientes activos cuya combinación (e interacción) es la que reporta los beneficios para la salud.

Como queremos ponerle las cosas fáciles, en este libro le descubrimos los 50 alimentos más saludables, que acompañamos de recetas rápidas, fáciles y deliciosas para que pueda llevar una dieta sana sin renunciar al sabor.

FRUTAS

01

MANZANAS

Estudios científicos recientes demuestran que la creencia popular de que tomar una manzana al día es garantía de buena salud no iría desencaminada.

Aunque las manzanas no son ricas en ninguna vitamina ni ningún mineral en concreto, a excepción de potasio, contienen altos niveles de fitoquímicos como la quercetina, un flavonoide. Estas sustancias previenen numerosas enfermedades, incluido el cáncer y el alzhéimer, además de tener propiedades antiinflamatorias. Las manzanas son una valiosa fuente de pectina, un tipo de fibra soluble que reduce el colesterol malo (que puede acumularse en las paredes de las arterias que alimentan el corazón y el cerebro) y previene el cáncer de colon. Los estudios demuestran que los adultos que consumen manzanas asiduamente tienen un contorno de cintura inferior, menos grasa abdominal y la tensión sanguínea más baja que los que no lo hacen.

- Ricas en flavonoides para el corazón y los pulmones.
- Bajas en calorías y en índice glucémico.
- Alto contenido en fibra, que favorece la digestión.
- Buena fuente de potasio, que previene la retención de líquidos.

Consejos prácticos:
Guarde las manzanas en un lugar frío y oscuro como el frigorífico o la despensa, dentro de una bolsa de plástico agujereada para que conserven la máxima cantidad de vitamina C. Para que no se ennegrezcan una vez peladas, sumérjalas en un bol con agua y 1 o 2 cucharadas de zumo de limón. Intente comerse también la piel, ya que contiene hasta cinco veces más fitoquímicos que la pulpa.

VALOR NUTRICIONAL DE UNA MANZANA DE TAMAÑO MEDIO

Calorías	**60**
Grasas	**trazas**
Proteínas	**trazas**
Hidratos de carbono	**16 g**
Fibra	**2,8 g**
Vitamina C	**5 mg**
Potasio	**123 mg**

CHULETAS DE CERDO GUISADAS CON MANZANA

PARA 4 PERSONAS

- 2 cucharadas de aceite de oliva
- 4 chuletas de lomo de cerdo magras
- 12 chalotes (echalotes) pequeños pelados
- 3 ramas de apio en rodajas
- 2 manzanas Pippin, sin el corazón y cortadas en láminas
- 240 ml/1 taza de caldo de pollo
- 2 cucharadas de salsa Worcestershire
- 1 cucharada de romero fresco picado
- ramitas de romero fresco, para adornar

PREPARACIÓN

1 Caliente el aceite en una cazuela grande que pueda ir al horno y ase las chuletas 2 o 3 minutos, dándoles la vuelta una vez, hasta que empiecen a dorarse.

2 Añada los chalotes y el apio y prosiga con la cocción 2 minutos más, hasta que empiecen a dorarse.

3 Incorpore la manzana, vierta el caldo y la salsa Worcestershire, agregue el romero picado y llévelo a ebullición. Baje el fuego al mínimo y cuézalo alrededor de 1 hora, o hasta que la carne esté tierna. Para comprobar si está hecha, inserte un termómetro para carne en la parte más gruesa; debería estar al menos a 70 °C (160 °F.) También puede pinchar un cuchillo afilado en el centro de la carne; si sale un jugo transparente, no rosado, significa que ya está lista.

4 Adorne el plato con ramitas de romero y sírvalo.

ENSALADA WALDORF

PARA 4 PERSONAS

60 g/¹/₂ taza de pacanas
(nueces pecán)

4 manzanas tipo Cortland,
Empire o Red Delicious

el zumo (jugo) de 1 limón

4 ramas de apio
en rodajitas

85 g/¹/₂ taza de uvas
negras sin pepitas
(semillas) partidas por
la mitad

240 ml/1 taza de yogur

120 g/4 tazas de rúcula

pimienta, al gusto

PREPARACIÓN

1   Tueste las pacanas unos minutos en una sartén para que suelten
su aroma. Cuando se hayan enfriado y pueda manipularlas,
trocéelas.

2   Pele las manzanas, trocéelas, póngalas en un bol y rocíelas
con el zumo de limón para que no se oxiden.

3   Añada el apio, las uvas y la mitad de las pacanas, y remueva
bien. Incorpore el yogur y pimienta al gusto, y mézclelo con
suavidad.

4   Reparta la rúcula entre 4 platos y añada la ensalada. Esparza
las pacanas restantes por encima.

MAGDALENAS DE SALVADO CON MANZANA Y CANELA

PARA 12 UNIDADES

60 ml/¹⁄₄ de taza de aceite
vegetal

1 cucharada de glicerina para
repostería

250 g/3/4 de taza de compota
de manzana

2 huevos

¹⁄₂ cucharadita de esencia
de vainilla

60 ml/¹⁄₄ de taza de miel

60 ml/¹⁄₄ de taza de leche

290 g/2¹⁄₃ tazas de harina

110 g/1¹⁄₄ tazas de salvado
de avena

80 g/²⁄₃ de taza de linaza
molida

1 cucharadita de levadura
en polvo

¹⁄₂ cucharadita de bicarbonato

¹⁄₂ cucharadita de goma
xantana

1 cucharadita de canela
molida

¹⁄₄ de cucharadita de pimienta
inglesa molida

135 g/³⁄₄ de taza de azúcar
moreno claro

125 g/³⁄₄ de taza de pasas

PREPARACIÓN

1   Precaliente el horno a 180 °C (350 °F) y forre un molde múltiple
    para 12 magdalenas con moldes de papel.

2   En un bol grande, bata el aceite con la glicerina, la compota,
    los huevos, la esencia de vainilla, la miel y la leche. Mezcle
    en otro bol los ingredientes restantes, luego añada los
    ingredientes del bol grande y mézclelo bien.

3   Reparta la masa entre los moldes de papel. Cueza las
    magdalenas en el horno de 20 a 25 minutos, o hasta que al
    pincharlas en el centro con un palillo, salga limpio. Sáquelas
    del horno y déjelas enfriar en una rejilla metálica.

02

AGUACATES

La pulpa verde y mantecosa del aguacate es una buena fuente de grasas monoinsaturadas, que son cardiosaludables, pero también contiene otros nutrientes importantes.

VALOR NUTRICIONAL DE UN AGUACATE DE TAMAÑO MEDIO

Calorías	**240**
Grasas	**3 g**
Proteínas	**22 g**
Hidratos de carbono	**12,8 g**
Fibra	**5 g**
Vitamina C	**9 mg**
Potasio	**728 mg**
Vitamina E	**3 mg**

Los aguacates contienen mucha grasa, pero como la mayoría es monoinsaturada, ayuda a reducir el colesterol. El ácido oleico que contienen este tipo de grasas también se relaciona con una menor incidencia de cáncer de mama. El aguacate contiene numerosos nutrientes, entre ellos vitaminas C, E y B6, ácido fólico, hierro, magnesio y potasio. Además, contiene beta-sitosterol, un fitoquímico de acción antioxidante que según los estudios regula el colesterol, previene el cáncer y podría mejorar la alopecia masculina relacionada con el envejecimiento.

- Ricos en vitamina E, que fortalece el sistema inmunológico.
- La luteína previene las cataratas y la degeneración macular asociada a la edad.
- Grasa monoinsaturada, que reduce el colesterol.
- Buena fuente de magnesio, que previene cardiopatías.

Consejos prácticos:

Elija ejemplares sin motas ni partes blandas, que podrían ser sinónimo de magulladuras. Estarán en su punto cuando cedan un poco al presionarlos con el pulgar. Para que maduren más deprisa, envuélvalos en papel de periódico junto con un plátano. Para prepararlos, córtelos a lo largo a ras del hueso y gire ambas mitades. Pinche el hueso con la punta del cuchillo y tire de él para separarlo. Una vez cortada la pulpa, rocíela con zumo de limón o vinagre para que no se ennegrezca.

GUACAMOLE PICANTE

PARA 4 PERSONAS

2 aguacates (paltas) grandes

el zumo (jugo) de 2 limas (limones), o al gusto

2 dientes de ajo grandes majados

1 cucharadita de guindilla (chile, ají picante) molida suave, o al gusto

sal y pimienta, al gusto

PREPARACIÓN

1 Parta los aguacates por la mitad. Deseche los huesos. Retire la pulpa con una cuchara y deseche la piel.

2 Triture los aguacates en el robot de cocina con el zumo de lima. Añada el ajo y la guindilla, y triture la salsa hasta que esté homogénea.

3 Pásela a una salsera, salpimiéntela y sírvala.

CREMA FRÍA DE AGUACATE

PARA 4 PERSONAS

2 aguacates (paltas)

1 cucharada de zumo (jugo) de limón

1 cucharada de cebollino (cebollín) troceado, y un poco más para adornar

1 cucharada de perejil picado

480 ml/2 tazas de caldo de pollo frío

300 ml/1¼ tazas de nata (crema) ligera, y un poco más para servir

1 chorrito de salsa Worcestershire

sal y pimienta, al gusto

PREPARACIÓN

1   Parta los aguacates por la mitad y quíteles el hueso. Pélelos y trocéelos.

2   Triture en la batidora o en el robot de cocina el aguacate con el zumo de limón, el cebollino, el perejil, el caldo, la nata y la salsa Worcestershire hasta obtener una crema. Salpimiente.

3   Pase la crema a un bol, tápela y déjela en el frigorífico hasta que vaya a servirla, adornada con un chorrito de nata líquida y cebollino.

ENSALADA DE AGUACATE Y CÍTRICOS CON MIEL

PARA 6 PERSONAS

120 g/4 tazas de hojas de espinaca troceadas

120 g/4 tazas de lechuga romana troceada

30 g/1 taza de lechuga iceberg troceada

2 naranjas peladas, con los gajos sin la membrana

1 pomelo pelado, con los gajos sin la membrana

1 aguacate (palta) pelado, deshuesado (descarozado) y en láminas

1 cucharada de zumo (jugo) de limón

1 cebolla pequeña en rodajas

75 g/¹/₂ taza de apio en rodajas

75 g/¹/₂ taza de pacanas (nueces pecán) troceadas tostadas

ALIÑO DE MIEL

65 g/¹/₃ de taza de azúcar

35 ml/2¹/₂ cucharadas de zumo (jugo) de limón

35 ml/2¹/₂ cucharadas de miel

2 cucharadas de vinagre de sidra

¹/₂ cucharadita de semillas de mostaza molidas

¹/₂ cucharadita de pimentón

¹/₄ de cucharadita de sal

¹/₈ de cucharadita de semillas de apio

120 ml/¹/₂ taza de aceite vegetal

PREPARACIÓN

1 En un bol grande, mezcle las espinacas con los dos tipos de lechuga. Reparta los gajos de naranja y de pomelo por encima.

2 Rocíe el aguacate con el zumo de limón y luego deseche el exceso de zumo. Disponga el aguacate, la cebolla y el apio en la ensalada. Esparza las pacanas por encima.

3 Para preparar el aliño de miel, bata todos los ingredientes excepto el aceite en el robot de cocina hasta que quede homogéneo. Con el robot de cocina en marcha, vaya vertiendo el aceite poco a poco. Siga batiendo unos segundos más hasta que el aceite esté bien incorporado. Sirva la ensalada rociada con el aliño.

03

NARANJAS

La naranja es una fuente excelente de vitamina C, el antioxidante que refuerza el sistema inmunológico y previene los signos de la edad.

Las naranjas son una de las fuentes más baratas de vitamina C, que previene el daño celular y las enfermedades. Además son ricas en fibra, ácido fólico y potasio, así como en calcio, esencial para fortalecer los huesos. Contienen zeaxantina y luteína, dos carotenos que protegen la vista y previenen la degeneración macular asociada a la edad. Las naranjas también contienen rutina, un flavonoide que ralentiza o previene la proliferación de tumores, y nobiletina, un compuesto antiinflamatorio. Todos estos fitonutrientes potencian aún más las propiedades de la vitamina C.

- Ricas en vitamina C, que previene infecciones y reduce la intensidad y la duración de los resfriados.
- Bajo índice glucémico, por lo que están indicadas en caso de diabetes y dietas hipocalóricas.
- Buen contenido de pectina, un tipo de fibra soluble que regula el colesterol.
- Acción antiinflamatoria, que previene la artritis.

Consejos prácticos:
Elija piezas que pesen bastante en comparación con su tamaño, lo que es signo de frescura y jugosidad. Refrigérelas para que conserven la vitamina C. La piel de naranja es muy rica en nutrientes, pero antes de ingerirla debe frotarse bien y dejarse secar.

VALOR NUTRICIONAL DE UNA NARANJA DE TAMAÑO MEDIO

Calorías	65
Grasas	trazas
Proteínas	1 g
Hidratos de carbono	16 g
Fibra	3,4 g
Vitamina C	64 mg
Potasio	238 mg
Calcio	61 mg
Luteína/Zeaxantina	182 mcg

¿SABÍA QUE...?

Debería ingerir parte de la membrana blanca de la naranja además de la pulpa, ya que es muy rica en fibra, fitoquímicos valiosos y antioxidantes.

LUBINA AL HORNO CON HINOJO Y NARANJA

PARA 2 PERSONAS

340 g/12 oz de patatas (papas) nuevas, partidas por la mitad si son grandes

2 cucharadas de aceite de oliva

1 naranja pequeña

2 lubinas enteras de 450 g/ 1 libra, limpias, escamadas y sin cabeza

½ bulbo de hinojo en tiras

1 cucharada de romero fresco picado

1 cucharada de mantequilla derretida

2 dientes de ajo en láminas finas

sal y pimienta, al gusto

PREPARACIÓN

1 Precaliente el horno a 200 °C (400 °F). Ponga las patatas en una fuente refractaria grande y rocíelas con 1 cucharada del aceite. Mézclelo bien y áselas 20 minutos en el horno precalentado.

2 Mientras tanto, ralle la piel de la naranja y luego córtela en rodajas. Haga tres o cuatro incisiones en la parte más gruesa de cada lubina por ambos lados, llegando casi hasta la raspa. Salpimiéntelas e introduzca 2 rodajas de naranja dentro de cada pescado.

3 Ponga el hinojo y el romero en la fuente, mézclelos con las patatas y salpimiente. Disponga las lubinas entre las patatas.

4 Mezcle la ralladura de naranja con la mantequilla derretida, el ajo y el aceite restante. Repártalo con una cuchara sobre las lubinas. Coloque por encima las rodajas de naranja restantes, meta la fuente en el horno y cuézalo 20 minutos hasta que el pescado esté hecho y las hortalizas, tiernas. Sírvalo enseguida.

ENSALADA DE HINOJO Y NARANJA

PARA 4 PERSONAS

2 naranjas
1 bulbo de hinojo en tiras
1 cebolla roja en rodajitas
sal y pimienta, al gusto
hojas de hinojo,
para adornar

ALIÑO

el zumo (jugo) de
1 naranja
2 cucharadas de vinagre
(aceto) balsámico

PREPARACIÓN

1   Pele las naranjas y córtelas en rodajas.

2   Dispóngalas en una fuente llana. Extienda una capa de hinojo por encima y, después, otra de cebolla.

3   Para preparar el aliño, mezcle el zumo de naranja y el vinagre. Rocíelo sobre la ensalada. Salpiméntela, adórnela con hojas de hinojo y sírvala.

NARANJAS ASADAS A LA CANELA

PARA 4 PERSONAS

4 naranjas grandes
1 cucharadita de canela molida
1 cucharada de azúcar moreno

PREPARACIÓN

1 Precaliente una plancha al máximo. Parta las naranjas por la mitad y, si fuera necesario, despepítelas. Deslice un cuchillo afilado alrededor de la pulpa para separarla de la piel. Realice un corte en la separación de los gajos para que después resulte más fácil comerse la naranja.

2 Disponga las mitades de naranja, con la parte cortada hacia arriba, en una fuente refractaria llana. Mezcle la canela con el azúcar en un cuenco y espárzalo sobre las naranjas.

3 Ase las naranjas de 3 a 5 minutos, o hasta que el azúcar se caramelice, se dore y borbotee. Sírvalas enseguida.

04

POMELO

El pomelo constituye el desayuno ideal, pues como otros cítricos es una fuente excelente de vitamina C, que refuerza el sistema inmunológico.

El pomelo rosa ya es tan popular como las variedades de pulpa blanca o amarilla. Es algo más dulce y tiene más propiedades saludables; el pigmento rosa revela la presencia de licopeno, con eficacia probada en la prevención del cáncer de próstata, entre otros. Como otros cítricos, el pomelo contiene bioflavonoides, unos compuestos que potencian la acción de la vitamina C, que también está presente en cantidades importantes. El pomelo tiene un índice glucémico bajo y muy pocas calorías, por lo que es muy adecuado en dietas hipocalóricas. Dado que el zumo de pomelo podría interferir en la acción de determinados medicamentos (como los antihipertensivos), si toma medicación consulte con su médico si puede consumirlo.

- Contiene antioxidantes, que previenen el cáncer de próstata, entre otros.
- Rico en vitamina C, que refuerza el sistema inmunológico.
- Excelente para dietas hipocalóricas.

Consejos prácticos:

Parta un pomelo por la mitad, espolvoréelo con azúcar moreno, áselo brevemente y obtendrá un desayuno sano y delicioso. Procure ingerir parte de la membrana blanca junto con la pulpa, ya que también es rica en nutrientes. El pomelo, como otros cítricos, contendrá más zumo si pesa bastante en comparación con su tamaño.

¿SABÍA QUE…?

El punto amargo del pomelo se debe a la naringenina, un compuesto que reduce el colesterol.

ENSALADA DE POMELO TROPICAL

PARA 4 PERSONAS

1 tajada de sandía
de 115 g/4 oz
1 pomelo rosa
1-2 chiles jalapeños verdes
2 cucharaditas de miel
55 g/2 oz de jengibre
en almíbar escurrido,
reservando 2 o 3
cucharaditas del almíbar
1 cucharada de menta picada

PREPARACIÓN

1   Retire la piel y las pepitas de la sandía, píquela y pásela a un bol. Pele el pomelo sobre el bol para recoger el jugo, retirando casi toda la piel blanca. Sepárelo en gajos, píquelos y páselos al bol.

2   Parta los chiles por la mitad, retire y deseche las semillas y la membrana y píquelos bien. Échelos en el bol junto con la miel. Remueva bien.

3   Pique bien el jengibre y échelo en el bol con el almíbar reservado. Agregue la menta y mézclelo bien. Páselo a un bol de servir. Tápelo y déjelo reposar en un lugar fresco 30 minutos para que los sabores se intensifiquen. Remueva la ensalada de nuevo y sírvala.

ENSALADA DE AGUACATE Y POMELO

PARA 2 PERSONAS

60 g/2 tazas de hojas
de ensalada variadas

1 pomelo rosa pelado
y en gajos

2 aguacates (paltas)
en láminas

½ cebolla roja
en rodajitas

ALIÑO

4 dátiles secos picados

1 cucharada de aceite
de oliva

1 cucharada de aceite
de nuez

1 cucharada de vinagre
de vino blanco

PREPARACIÓN

1 Para preparar el aliño, bata en un cuenco con un tenedor
los dátiles con los dos tipos de aceite y el vinagre.

2 En una ensaladera, ponga las hojas de ensalada y, después,
el pomelo, el aguacate y la cebolla. Aliñe la ensalada y
remuévala bien con dos tenedores. Sírvala enseguida.

REFRESCO DE POMELO Y PEPINO

PARA 2 PERSONAS

450 g/1 libra de pepinos pelados

el zumo (jugo) de 2 pomelos rosas

PREPARACIÓN

1 Parta los pepinos por la mitad, retire las semillas con una cuchara y trocéelos.

2 Triture el pepino con el zumo de pomelo en el robot de cocina o la batidora hasta que esté homogéneo, o bien licúelos. Vierta el refresco en vasos y sírvalo enseguida.

05

KIWIS

Siendo una fruta, el kiwi contiene una cantidad asombrosa de ácidos grasos omega-3. Esto, unido a su riqueza en vitamina C, mantiene el corazón en forma.

VALOR NUTRICIONAL DE UN KIWI DE TAMAÑO MEDIO

Calorías	46
Grasas	0,39 g
Proteínas	0,85 g
Hidratos de carbono	11,06 g
Fibra	2,26 g
Vitamina C	69,9 mg
Vitamina E	1,10 mg
Potasio	235 mg
Cobre/Zeaxantina	22,66 mg
Calcio	25,64 mcg
Cinc	0,10 mcg
Ácidos grasos omega-3	31,75 mg

Las pepitas comestibles de la fruta son muy saludables, y las del kiwi apenas se notan. Además de fibra y cinc, las pepitas contienen todos los nutrientes y enzimas necesarios para que la planta se desarrolle, y cuando se ingieren favorecen la proliferación y la regeneración celular. Las del kiwi contienen un 62 % de ácido alfa-linolénico, el ácido graso omega-3 que protege el corazón y disminuye la inflamación, tanto por dentro como por fuera del organismo. Además, el kiwi es una buena fuente de cobre, necesario para la producción de colágeno y, por tanto, para mantener sanos la piel, las uñas y los músculos.

- Tiene potasio, que ayuda a regular la función coronaria.
- Contiene más vitamina C que la naranja, así como vitamina E y ácidos grasos omega-3 rehidratantes, cuya acción conjunta nutre la piel.
- La vitamina C interactúa con el cobre para producir colágeno, que mantiene la piel tersa y renovada.

Consejos prácticos:

El kiwi puede comerse entero como una manzana; al ingerir la piel aprovechará la vitamina C que hay debajo, así como la fibra insoluble y los antioxidantes de la fruta. Para saber si un kiwi está en su punto óptimo de madurez, presiónelo: la piel cederá un poco pero no la pulpa. Las rodajas de kiwi deshidratadas son un aperitivo muy sano que encontrará en establecimientos especializados.

DIOSA VERDE

PARA 2 PERSONAS

450 g/1 libra de pepinos
pelados

4 kiwis pelados

hojas de lechuga romana,
para adornar

PREPARACIÓN

1 Parta los pepinos por la mitad, retire las semillas con una cuchara y trocéelos.

2 Triture el pepino con los kiwis en el robot de cocina o con la batidora hasta que esté homogéneo, o bien licúelos. Viértalo en vasos, adórnelos con hojas de lechuga y sírvalo enseguida.

BROCHETAS DE FRUTA ASADA

PARA 4 PERSONAS

2 nectarinas partidas por
la mitad y deshuesadas
(descarozadas)

2 kiwis

4 ciruelas rojas

1 mango pelado,
partido por la mitad
y deshuesado
(descarozado)

2 plátanos (bananas)
pelados y cortados en
rodajas gruesas

8 fresas (frutillas)
sin el rabillo

1 cucharada de miel

3 cucharadas de licor
de naranja

PREPARACIÓN

1 Corte las mitades de nectarina en cuñas y póngalas en un plato llano grande. Pele los kiwis y córtelos en cuartos. Parta las ciruelas por la mitad y deshuéselas. Trocee el mango y póngalo en el plato junto con el kiwi, la ciruela, el plátano y las fresas.

2 Mezcle la miel y el licor en un cuenco. Vierta la mezcla sobre la fruta y remuévala para que quede bien untada. Cúbrala con film transparente y déjela macerar en el frigorífico alrededor de 1 hora.

3 Precaliente una plancha al máximo. Escurra la fruta reservando la marinada. Ensártela en varias brochetas de metal o madera previamente remojadas. Ase las brochetas en la plancha entre 5 y 7 minutos, dándoles la vuelta con frecuencia y untándolas a menudo con la marinada reservada. Sírvalas enseguida.

SORBETE DE KIWI

PARA 6 PERSONAS

700 g/25 oz de kiwis

4 cucharadas de zumo (jugo) de naranja

150 g/¾ de taza de azúcar

1 tira fina de piel (cáscara) de limón

PREPARACIÓN

1   Pele los kiwis y trocéelos. Tritúrelos en el robot de cocina con el zumo de naranja hasta obtener un puré.

2   Eche el azúcar y la piel de limón en una cazuela de base gruesa y vierta 180 ml (¾ de taza) de agua. Llévelo a ebullición, removiendo hasta que el azúcar se haya disuelto. Luego aparte la cazuela del fuego y déjelo reposar.

3   Deseche la piel de limón del almíbar. Incorpore el puré de kiwi y mézclelo bien. Pase la mezcla a un recipiente para congelar, tápelo y congélelo 1 hora hasta que se formen cristales de hielo por los bordes. Pase el sorbete a la batidora y bátalo hasta que quede homogéneo. A continuación, devuélvalo al recipiente y congélelo 1 hora más.

4   Bata de nuevo el sorbete y vuelva a congelarlo. Repita el proceso una vez más y luego congélelo hasta que se endurezca. Unos 10 minutos antes de servirlo, pase el recipiente al frigorífico para que el sorbete se ablande un poco.

06

ARÁNDANOS

Estas bayas de un intenso color negruzco o azulado son los frutos más ricos en antioxidantes, unos compuestos que previenen varias enfermedades.

VALOR NUTRICIONAL DE 50 G/⅓ DE TAZA DE ARÁNDANOS

Calorías	29
Grasas	trazas
Proteínas	0,4 g
Hidratos de carbono	7,2 g
Fibra	1,2 g
Vitamina C	5 mg
Vitamina E	2,4 mg
Ácido fólico	34 mcg
Potasio	39 mg
Luteína/Zeaxantina	40 mcg

Los arándanos fueron unos de los primeros alimentos reconocidos por sus propiedades saludables, y se cree que solo un puñado de estas bayas al día podría prevenir algunas enfermedades. El pterostilbeno que contienen podría ser igual de efectivo que los medicamentos para reducir el colesterol, además de prevenir la diabetes y algunos tipos de cáncer.

Los arándanos también son una buena fuente de antocianinas, que previenen cardiopatías y la pérdida de memoria. Son ricos en vitamina C y fibra, y también podrían ser coadyuvantes en las infecciones del tracto urinario.

• Contienen pterostilbeno, un compuesto que reduce el colesterol.
• Previenen cardiopatías, diabetes y algunos tipos de cáncer.
• Podrían ser coadyuvantes en las infecciones del tracto urinario.
• La luteína y la zeaxantina protegen la vista.

Consejos prácticos:

Los arándanos son bastante dulces y es mejor comerlos crudos para que conserven la vitamina C. Guárdelos en un recipiente que no sea metálico para que no se oxiden. Téngalos siempre a mano y aumentará fácilmente el contenido nutricional de magdalenas, tartas y macedonias. Incluso congelados conservan casi todos los nutrientes.

ENSALADA DE PAVO Y ARÁNDANOS

PARA 4 PERSONAS

300 g/10½ oz de pavo asado frío

300 g/10½ oz de ramas de apio en rodajitas

225 g/1½ tazas de arándanos

75 g/2½ oz de nueces troceadas

ALIÑO

100 g/3½ oz de queso azul, como roquefort o gorgonzola

100 ml/3½ oz de nata (crema) fresca espesa

2 cucharadas de zumo (jugo) de limón

sal y pimienta, al gusto

PREPARACIÓN

1 Corte el pavo en trozos del tamaño de un bocado y, en un bol grande, mézclelos con el apio, los arándanos y la mitad de las nueces. Remueva bien.

2 Para preparar el aliño, chafe el queso con un tenedor e incorpore la nata y el zumo de limón. Salpimiente.

3 Aliñe la ensalada y remuévala bien. Repártala entre los platos, esparza las nueces restantes por encima y sírvala enseguida.

TORTITAS DE POLENTA CON ARÁNDANOS

PARA 2 PERSONAS

125 g/1 taza de harina

1½ cucharaditas de levadura en polvo

75 g/½ taza de polenta

25 g/2 cucharadas de azúcar

1 pizca de sal

300 ml/1¼ tazas de suero de leche

2 huevos grandes

55 g/½ barra de mantequilla derretida

600 g/4 tazas de arándanos

azúcar glas (impalpable) y jarabe de arce, para servir

PREPARACIÓN

1 Tamice la harina con la levadura, la polenta, el azúcar y la sal en un bol grande. En otro bol, bata el suero de leche con los huevos y la mitad de la mantequilla hasta que esté homogéneo. A continuación, remuévalo con la mezcla de harina y bátalo todo hasta obtener una pasta. Incorpore con suavidad los arándanos, procurando que no se chafen.

2 Ponga una sartén antiadherente a fuego medio-alto y píntela con un poco de mantequilla. Deje caer 2 o 3 cucharadas de la pasta en la sartén y cuézala un par de minutos, o hasta que empiecen a aparecer burbujas. Dele la vuelta a la tortita y prosiga con la cocción otro minuto. Mantenga la tortita caliente mientras prepara las restantes, y vaya pintando la sartén con la mantequilla restante de vez en cuando.

3 Apile 3 o 4 tortitas en cada plato y espolvoréelas con azúcar glas. Rocíelas con jarabe de arce y sírvalas. Las tortitas que sobren se pueden guardar en el frigorífico y servir más tarde untadas con mantequilla.

MAGDALENAS DE ARÁNDANOS Y AVENA

PARA 9 UNIDADES

240 ml/1 taza de zumo (jugo) de naranja

60 g/²⁄₃ de taza de copos de avena

100 g/½ taza de azúcar

210 g/1²⁄₃ tazas de harina tamizada

½ cucharadita de goma xantana

1½ cucharaditas de levadura en polvo

½ cucharadita de bicarbonato

½ cucharadita de canela molida

¼ de cucharadita de pimienta inglesa molida

120 ml/½ taza de aceite vegetal

1 huevo batido

1 cucharadita de glicerina

190 g/1¼ tazas de arándanos

azúcar moreno, para espolvorear

PREPARACIÓN

1 Precaliente el horno a 180 °C (350 °F) y forre un molde múltiple hondo para 9 magdalenas con moldes de papel.

2 Mezcle en un bol el zumo de naranja con la avena.

3 En otro bol, mezcle el azúcar con la harina, la goma xantana, la levadura, el bicarbonato y las especias. Añada el aceite, el huevo y la glicerina a los ingredientes secos, y mézclelo bien. A continuación, incorpore con suavidad la mezcla de avena y los arándanos.

4 Reparta la pasta entre los moldes de papel y espolvoréelos con azúcar moreno.

5 Cueza las magdalenas en el horno de 20 a 25 minutos, o hasta que al pincharlas en el centro con un palillo, salga limpio. Sáquelas del horno y déjelas enfriar en una rejilla metálica.

07

FRAMBUESAS

Muy ricas en vitamina C, fibra y antioxidantes cardiosaludables, las frambuesas son una de las frutas más nutritivas que existen.

VALOR NUTRICIONAL DE 115 G/¾ DE TAZA DE FRAMBUESAS

Calorías	52
Grasas	0,6 g
Proteínas	1,2 g
Hidratos de carbono	12 g
Fibra	6,5 g
Vitamina C	26 mg
Vitamina B3	0,8 mg
Vitamina E	0,6 mg
Ácido fólico	21 mg
Potasio	151 mg
Calcio	25 mg
Hierro	0,7 mg
Cinc	0,4 mg

Las frambuesas son asombrosamente nutritivas, sobre todo si se comen crudas y enteras ya que la cocción o la manipulación destruyen algunos antioxidantes, sobre todo las antocianinas. Estos pigmentos rojos y púrpuras de origen natural poseen una eficacia probada en la prevención de cardiopatías y algunos tipos de cáncer, y podrían prevenir las varices. Las frambuesas también contienen altos niveles de ácido elágico, un compuesto con propiedades anticancerígenas. Asimismo, son ricas en fibra y contienen buenas cantidades de hierro, que el organismo absorbe bien gracias a la abundancia de vitamina C.

• Ricas en antioxidantes.
• Podrían prevenir las varices.
• Una ración contiene aproximadamente la mitad de la dosis diaria recomendada de vitamina C.
• El alto contenido en fibra reduce el colesterol.

Consejos prácticos:
Las frambuesas son muy perecederas, por lo que solo deben recolectarse maduras y consumirse lo antes posible. Aun así pueden congelarse; para ello debe extenderlas en una sola capa y meterlas en recipientes de plástico, no en bolsas de plástico. No lave las frambuesas antes de guardarlas si no es estrictamente necesario, ya que podrían destruirse los nutrientes. Las frambuesas contienen pectina, un tipo de fibra soluble de acción gelificante, lo que las convierte en una fruta ideal para hacer confitura.

¿SABÍA QUE...?

Las frambuesas están formadas por varias drupas, frutos más pequeños agrupados alrededor de un rabillo central. Cada drupa contiene una semilla, por ello las frambuesas son tan ricas en fibra.

REFRESCO DE FRAMBUESA Y PERA

PARA 2 PERSONAS

2 peras Bartlett grandes
y maduras
150 g/1 taza de frambuesas
240 ml/1 taza de agua helada
miel, al gusto

PREPARACIÓN

1 Pele las peras, córtelas en cuartos y retíreles el corazón. Tritúrelas con las frambuesas y el agua en el robot de cocina o la batidora hasta obtener un puré homogéneo.

2 Endúlcelo con miel, al gusto. Reparta el batido entre vasos enfriados y sírvalo.

MAGDALENAS DE FRAMBUESA Y LIMÓN

PARA 12 UNIDADES

115 g/1 barra de
mantequilla ablandada

150 g/¾ de taza de
azúcar y 2 huevos
grandes

115 g/1 taza de harina

1½ cucharaditas de
levadura en polvo

la ralladura fina de
1 limón y 1 cucharada
de crema de limón

115 g/¾ de taza
de frambuesas

COBERTURA

25 g/2 cucharadas
de mantequilla

1 cucharada de azúcar
moreno claro, 1 de
almendra molida
y 1 de harina

PREPARACIÓN

1 Precaliente el horno a 200 °C (400 °F). Coloque 12 moldes
de papel en un molde múltiple para magdalenas o ponga
12 moldes de papel dobles en la bandeja del horno.

2 Para preparar la cobertura, derrita la mantequilla a fuego lento
en un cazo. Pásela a un bol e incorpore el azúcar, la almendra
y la harina.

3 Para preparar las magdalenas, bata la mantequilla con el azúcar
en un bol grande hasta obtener una crema ligera y espumosa.
A continuación, incorpore los huevos, un poco batidos, poco a
poco. Tamice la harina y la levadura por encima, y mézclelo bien.
Incorpore la ralladura y la crema de limón y las frambuesas.
Reparta la masa entre los moldes de papel. Añada la cobertura
y presiónela un poco.

4 Hornee las magdalenas en el horno precalentado entre
15 y 20 minutos, o hasta que se doren y adquieran consistencia.
Déjelas reposar 10 minutos y páselas a una rejilla metálica para
que se enfríen del todo.

BOCADITOS DE AVENA

PARA 16 UNIDADES

210 g/1²/₃ tazas de harina
1 cucharadita de levadura
en polvo
100 g/¹/₂ taza de azúcar
90 g/¹/₂ taza de azúcar
moreno claro
225 g/1 taza de mantequilla
1 cucharadita de esencia
de almendra
160 g/1³/₄ tazas de copos
de avena
220 g/²/₃ de taza de confitura
de frambuesa
40 g/¹/₂ taza de almendra
laminada

PREPARACIÓN

1 Precaliente el horno a 190 °C (350 °F). Forre un molde
rectangular de 30 x 20 cm (12 x 8 in). Tamice la harina y la
levadura en un bol grande, añada los dos tipos de azúcar y
mézclelo bien. Agregue la mantequilla y trabaje la mezcla
con los dedos hasta que adquiera una consistencia como de
migas de pan. Incorpore la esencia de almendra y la avena,
y luego ponga tres cuartos de la mezcla en la base del molde,
presionándola bien. Cuézala en el horno precalentado durante
10 minutos.

2 Unte la base cocida con la confitura y esparza por encima
la mitad de la almendra.

3 Eche la mezcla de harina restante en un bol y mézclela con
el resto de la almendra. Espárzalo por encima de la base y
presiónela con suavidad. Cuézalo de 20 a 25 minutos más o
hasta que se dore. Déjelo enfriar en el molde y córtelo en
rectángulos para servirlos.

08

PLÁTANOS

El plátano es el tentempié de los deportistas, ya que aporta energía rápida y de calidad al organismo. Va muy bien para rellenar y reparar las células.

Si bien el plátano es rico en azúcar, también es cierto que no hay que prescindir de él debido a sus valiosas propiedades. Un plátano maduro contiene abundante fibra, incluida inulina, un tipo de fibra prebiótica que estimula la proliferación de bacterias digestivas beneficiosas (probióticas), la primera barrera de defensa del sistema inmunológico. El equilibrio digestivo previene afecciones de origen inflamatorio (eccema, asma, artritis), además de favorecer la digestión y la absorción de nutrientes para mantener un buen estado de salud.

- El potasio y la vitamina C transportan el oxígeno por todo el cuerpo y renuevan y revitalizan la piel.
- Contienen altos niveles de potasio, vitamina C y vitamina B6, sustancias todas ellas cardiosaludables.
- Los atletas confían en el cóctel de nutrientes de los plátanos para aumentar el rendimiento, la recuperación y la respuesta muscular.
- Favorecen la función renal y previenen la retención de líquidos, reduciendo la hinchazón para tener un aspecto más joven.

Consejos prácticos:

Es mejor comer los plátanos, la fruta preferida de los golosos, cuando la piel es de un amarillo intenso, sin magulladuras. Evite los que estén demasiado maduros o marronosos, ya que se habrán destruido los azúcares y la fruta estará blanda y dulzona. Las personas aquejadas de flemas o congestión nasal deben evitar su consumo para no agravar estas afecciones.

VALOR NUTRICIONAL DE UN PLÁTANO DE TAMAÑO MEDIO

Calorías	**105**
Grasas	**0,39 g**
Proteínas	**1,29 g**
Hidratos de carbono	**26,95 g**
Fibra	**3,1 g**
Vitamina B6	**0,43 mg**
Vitamina C	**10,3 mg**
Potasio	**422 mg**

¿SABÍA QUE...?

El término «banana» deriva del árabe *banan,* que significa «dedo». Los plátanos crecen en racimos de hasta 20 frutos llamados «manos».

BATIDO DE PLÁTANO Y FRESA

PARA 2 PERSONAS

1 plátano (banana) cortado
en rodajas

115 g/4 oz de fresas (frutillas)
sin el rabillo

160 ml/²⁄₃ de taza de yogur

PREPARACIÓN

1 Triture el plátano con las fresas y el yogur en el robot de cocina
o la batidora unos segundos hasta obtener un puré homogéneo.

2 Viértalo en vasos y sírvalo enseguida.

BARRITAS CRUJIENTES DE PLÁTANO

PARA 10 PORCIONES

200 g/1¾ barras de mantequilla ablandada, y un poco más para engrasar

90 g/½ taza de azúcar moreno oscuro

150 g/1⅔ tazas de copos de avena

75 g/½ taza de pacanas (nueces pecán)

½ cucharadita de canela molida

100 g/½ taza de azúcar

2 huevos un poco batidos

220 g/²⁄₃ de taza de plátano (banana) maduro

200 g/1⅔ tazas de harina

2½ cucharaditas de levadura en polvo

PREPARACIÓN

1 Precaliente el horno a 180 °C (350 °F). Engrase un molde cuadrado de 18 cm/7 in de lado y fórrelo con papel vegetal antiadherente. Ponga 80 g (¾) de la barra de mantequilla y el azúcar moreno en un cazo y caliéntelo a fuego bajo, removiendo, hasta que la mantequilla se derrita, el azúcar se disuelva y quede homogéneo. Apártelo del fuego. Incorpore la avena, las pacanas troceadas y la canela. Resérvelo.

2 Bata la mantequilla restante con el azúcar hasta que quede cremoso y añada los huevos de uno en uno, batiendo bien tras cada adición. Incorpore el plátano chafado, la harina y la levadura con una cuchara grande de metal.

3 Extienda en el molde la mitad de esta última pasta. Esparza la mitad de la mezcla de avena por encima y luego vuelva a poner una capa de cada. Cuézalo en el horno precalentado entre 50 y 60 minutos, o hasta que suba y se note consistente al tacto. Déjelo enfriar 1 hora en el molde, luego desmóldelo y córtelo en 10 porciones.

MAGDALENAS DE PLÁTANO

PARA 12 UNIDADES

280 g/2¼ tazas de harina

3 cucharaditas de levadura en polvo

½ cucharadita de bicarbonato

1 cucharadita de canela molida

1 pizca de sal

100 g/½ taza de azúcar

80 g/¾ de barra de mantequilla derretida

120 ml/½ taza de leche

2 cucharadas de miel, y un poco más para pintar

1 cucharadita de esencia de vainilla

2 huevos grandes

2 plátanos (bananas) maduros chafados

chips de plátano (banana) deshidratado, para adornar

PREPARACIÓN

1 Precaliente el horno a 180 °C (350 °F) y forre un molde múltiple para magdalenas con moldes de papel. En un bol, tamice la harina, la levadura, el bicarbonato, la canela y la sal. Añada el azúcar y remueva bien.

2 En otro bol, bata la mantequilla con la leche, la miel, la esencia de vainilla, los huevos y el plátano. Añada la mezcla de harina y remueva hasta que esté incorporada.

3 Reparta la pasta entre los moldes de papel. Cueza las magdalenas en el horno precalentado de 20 a 25 minutos, o hasta que suban. Pinte las magdalenas con miel y corónelas con un chip de plátano. Déjelas enfriar en el molde 15 minutos y después páselas a una rejilla metálica. Sirva 2 magdalenas por persona para desayunar, templadas o a temperatura ambiente.

4 Las magdalenas que sobren se pueden conservar en el congelador hasta 2 meses. Antes de servirlas, déjelas descongelar por completo y luego caliéntelas en el horno.

HORTALIZAS

09

BRÉCOL

El brécol, que es muy rico en selenio, es la hortaliza del género Brassica (col) que ofrece una mayor protección frente al cáncer de próstata.

VALOR NUTRICIONAL DE 100 G/1 TAZA DE BRÉCOL TROCEADO

Calorías	34
Grasas	0,4 g
Proteínas	2,8 g
Hidratos de carbono	6,6 g
Fibra	2,6 g
Vitamina C	89 mg
Selenio	2,5 mcg
Betacaroteno	361 mcg
Calcio	47 mg
Luteína/Zeaxantina	1403 mcg

Hay muchas variedades de brécol, pero cuanto más oscuro sea, mayor será la cantidad de nutrientes beneficiosos. Contiene sulforafano e indoles, que se ha demostrado que previenen el cáncer, en especial de mama y de colon. El brécol también es rico en flavonoides, que los estudios relacionan con una reducción significativa de la incidencia de cáncer de ovarios. Los fitoquímicos del brécol también podrían prevenir úlceras estomacales. Estos actúan como un depurativo que reduce el colesterol malo, refuerza el sistema inmunológico y previene las cataratas.

- Rico en varios nutrientes que previenen algunos tipos de cáncer.
- Contiene luteína y zeaxantina, que ayudan a prevenir la degeneración macular.
- Combate la bacteria *H. pylori,* lo que se traduce en un efecto beneficioso en el intestino y el tracto digestivo.
- Rico en calcio para reforzar y proteger los huesos.
- Fuente excelente de vitamina C y selenio, dos antioxidantes.

Consejos prácticos:
Elija piezas de color intenso y evite las que tengan motas pálidas, amarillas o marrones. Las hojas y el troncho también son comestibles y contienen valiosos nutrientes. El brécol congelado conserva el valor nutritivo del fresco, y es una forma de conservación muy práctica. Para prepararlo, cuézalo un poco al vapor o saltéelo.

SALTEADO DE BRÉCOL CON CACAHUETES

PARA 4 PERSONAS

3 cucharadas de aceite de cacahuete (maní) u otro aceite vegetal

1 tallo de limoncillo troceado

2 guindillas (chiles) rojas sin semillas y picadas

1 trozo de jengibre de 2,5 cm/ 1 in pelado y rallado

3 hojas de lima (limón) kafir

3 cucharadas de pasta de curry verde

1 cebolla y 1 pimiento (ají) rojo sin las semillas, picados

225 g/5 tazas de ramitos de brécol (brócoli)

150 g/1 taza de judías verdes (chauchas, ejotes) troceadas

50 g/$\frac{1}{3}$ de taza de cacahuetes (manís) sin sal tostados

PREPARACIÓN

1 En el robot de cocina o la batidora, triture 2 cucharadas del aceite con el limoncillo, la guindilla, el jengibre, las hojas de lima troceadas y la pasta de curry hasta obtener una pasta homogénea.

2 Caliente un wok o una sartén grande a fuego fuerte. Vierta el aceite restante y caliéntelo 30 segundos. Eche la pasta de especias, la cebolla y el pimiento, y saltéelo 2 o 3 minutos, hasta que las hortalizas empiecen a ablandarse.

3 Agregue el brécol y las judías verdes, tape el wok y cuézalo todo 4 o 5 minutos a fuego lento, hasta que las hortalizas estén tiernas.

4 Añada los cacahuetes, remueva y sírvalo.

PURÉ DE BRÉCOL

PARA 6 PERSONAS

¹/₂ brécol (brócoli)

1 puerro (poro) en rodajas

1 rama de apio en rodajas

1 diente de ajo majado

3 patatas (papas) rojas o
blancas, en dados

1 litro/4 tazas de caldo
de verduras

1 hoja de laurel

sal y pimienta, al gusto

picatostes, para servir

PREPARACIÓN

1 Parta el brécol en ramitos y resérvelos. Corte los tronchos más
   gruesos en dados grandes y póngalos en una cazuela con el
   puerro, el apio, el ajo, la patata, el caldo y el laurel. Llévelo
   a ebullición, baje el fuego, tape la cazuela y cueza la sopa
   15 minutos.

2 Eche los ramitos de brécol y espere a que la sopa vuelva a
   hervir. Baje el fuego, tápela y cuézala de 3 a 5 minutos más,
   o hasta que la patata y el brécol estén tiernos.

3 Aparte la cazuela del fuego y deje enfriar un poco la sopa.
   Retire y deseche el laurel. Tritúrela en el robot de cocina o la
   batidora, en tandas si fuera necesario, hasta obtener un puré.

4 Devuélvalo a la olla y caliéntelo bien. Salpimiente. Reparta el
   puré entre 6 platos hondos precalentados y sírvalos enseguida
   con picatostes.

POLLO CON BRÉCOL AL HORNO

PARA 4 PERSONAS

1 brécol (brócoli) en ramitos

3 cucharadas de mantequilla

1 cebolla en rodajas finas

300 g/2½ tazas de pechuga de pollo cocida, en trozos del tamaño de un bocado

120 ml/½ taza de nata (crema) fresca espesa o nata (crema) agria

240 ml/1 taza de caldo de pollo

45 g/½ taza de pan blanco recién rallado

50 g/½ taza de queso suizo rallado

sal y pimienta, al gusto

PREPARACIÓN

1 Precaliente el horno a 200 °C (400 °F.) Ponga a hervir agua con sal en una olla, eche el brécol y hiérvalo 5 minutos, hasta que esté tierno. Escúrralo bien.

2 Mientras tanto, caliente 2 cucharadas de la mantequilla en una sartén y saltee la cebolla a fuego medio 3 o 4 minutos, hasta que se ablande.

3 Disponga el brécol, la cebolla y el pollo en una cazuela mediana apta para el horno y salpimiente bien. Vierta la nata y el caldo sobre el pollo y las hortalizas.

4 Derrita el resto de la mantequilla en un cazo e incorpore el pan rallado. Mézclelo con el queso y espárzalo por encima de los ingredientes de la cazuela.

5 Ponga la cazuela en el horno, sobre la bandeja, y cuézalo de 20 a 25 minutos, hasta que se dore y borbotee. Sírvalo caliente.

10

ZANAHORIAS

Las hortalizas más ricas en carotenos previenen algunos tipos de cáncer y enfermedades cardiovasculares, además de proteger la vista y los pulmones.

VALOR NUTRICIONAL DE UNA ZANAHORIA DE TAMAÑO MEDIO

Calorías	**41**
Grasas	**Trazas**
Proteínas	**0,9 g**
Hidratos de carbono	**9,6 g**
Fibra	**2,8 g**
Vitamina C	**6 mg**
Vitamina E	**0,7 mg**
Betacaroteno	**8285 mcg**
Calcio	**33 mg**
Potasio	**320 mg**
Luteína/Zeaxantina	**256 mcg**

Las zanahorias son unos de los tubérculos más nutritivos. Son una fuente excelente de antioxidantes y el vegetal más rico en carotenos, que les confieren su característico color naranja. Estos compuestos previenen enfermedades cardiovasculares y algunos tipos de cáncer. Los carotenos podrían evitar las cardiopatías en un 45 %, y mantener la vista y los pulmones en buen estado. Las zanahorias también son ricas en fibra, vitaminas C y E (antioxidantes), calcio y potasio. Actualmente se realizan estudios sobre las propiedades del falcarinol, otro de sus compuestos, para combatir tumores.

• Ricas en caroteno, que previene el colesterol malo y las cardiopatías.
• Previenen algunos tipos de cáncer y enfisemas.
• Las mujeres que consumen al menos cinco zanahorias a la semana tienen dos tercios menos de probabilidades de padecer apoplejías.
• Ayudan a mejorar la vista y la visión nocturna.
• Contienen abundantes vitaminas, minerales y fibra.

Consejos prácticos:

Cuanto más oscuras sean, más carotenos contendrán. Retire toda la parte verde del tallo de las zanahorias antes de cocinarlas, ya que son levemente tóxicas. Los nutrientes de las zanahorias se asimilan mejor si están cocidas que si están crudas, y si se les añade un poco de aceite vegetal durante la cocción se favorece la absorción de los carotenos.

¿SABÍA QUE...?

La ingesta abundante de zanahorias puede provocar carotenemia, una afección inocua que tiñe la piel de naranja.

ZANAHORIAS AL AGUA DE VICHY

PARA 4-6 PERSONAS

25 g/2 cucharadas de mantequilla sin sal

6 zanahorias (450 g/1 libra aprox.) en rodajas no muy finas

1 cucharada de azúcar

1 botella de agua de Vichy

sal y pimienta

2 cucharadas de perejil picado

PREPARACIÓN

1 En una cazuela grande de base gruesa, derrita la mantequilla a fuego medio-fuerte. Eche la zanahoria y, a continuación, el azúcar, sal y pimienta.

2 Cubra la zanahoria con unos 5 cm (2 in) de agua de Vichy y llévelo a ebullición. Baje el fuego a temperatura media y cueza la zanahoria, sin tapar y removiendo de vez en cuando, hasta que esté tierna, se haya consumido todo el líquido y esté recubierta de una fina capa de glaseado.

3 Rectifique la sazón si fuera necesario, páselo a una fuente de servicio y esparza el perejil picado. Sírvalo enseguida.

TARTA DE ZANAHORIA CON CREMA DE QUESO

PARA 12 PERSONAS

290 g/2½ tazas de zanahoria rallada, 250 g/2 tazas de harina, 100 g/½ taza de azúcar y 90 g/½ taza de azúcar moreno

2 cucharaditas de bicarbonato, 1 de levadura en polvo y 2 de canela molida, 4 huevos

320 ml/1⅓ tazas de aceite vegetal y 1⅓ cucharaditas de esencia de vainilla

CREMA DE QUESO

200 g/1 taza de queso cremoso, 100 g/½ taza de mantequilla sin sal, 300 g/3 tazas de azúcar glas (impalpable), 120 g/1 taza de pacanas (nueces pecán), y 2 cucharaditas de esencia de vainilla

PREPARACIÓN

1 Precaliente el horno a 180 °C (350 °F) y engrase 3 moldes para tarta de 23 cm (9 in) de diámetro.

2 Mezcle en un bol grande la zanahoria, la harina, el azúcar, el azúcar moreno, el bicarbonato, la levadura y la canela. Remueva bien. Bata aparte los huevos con el aceite y la vainilla.

3 Mézclelos con los ingredientes secos hasta obtener una pasta homogénea. A continuación, repártala entre los moldes. Hornee las tartas 30 minutos, o hasta que al pincharlas en el centro con una brocheta, salga limpia. Déjelas enfriar en el mismo molde 5 minutos y luego desmóldelas en una rejilla metálica para que se enfríen por completo.

4 Para hacer la crema de queso, bata el queso con la mantequilla hasta obtener una crema suave. Añada el azúcar y la vainilla, y bata hasta que quede blanquecina y espumosa. Incorpore las pacanas picadas, y luego utilice esta crema como relleno entre las capas y como cobertura.

CREMA DE ZANAHORIA AL COMINO

PARA 2 PERSONAS

1 zanahoria picada

1 diente de ajo picado

1 chalote (echalote) picado

1 tomate (jitomate) maduro pelado y picado

$1/2$ cucharadita de comino molido

240 ml/1 taza de caldo de verduras

1 ramillete de hierbas hecho con perejil, tomillo y 1 hoja de laurel

pimienta, al gusto

1 pizca de comino y 1 cucharada de nata (crema) fresca espesa o yogur griego bajos en grasa (opcional), para adornar

PREPARACIÓN

1 Ponga la zanahoria, el ajo, el chalote, el tomate, el comino, el caldo y las hierbas en una cazuela con tapa.

2 Llévelo a ebullición a fuego fuerte, baje la temperatura y cuézalo 30 minutos, o hasta que las hortalizas estén tiernas. Deje enfriar un poco la sopa y deseche las hierbas.

3 Pase la sopa al robot de cocina o la batidora y tritúrela hasta obtener una crema.

4 Devuélvala a la cazuela y caliéntela a fuego lento. Sazónela con pimienta. Aparte la cazuela del fuego y reparta la crema entre tazas o boles precalentados. Adórnela con el comino y, si lo desea, la nata o el yogur. Sírvala enseguida.

PIMIENTOS ROJOS

Todas las especies del género Capsicum, como el pimiento y la guindilla, poseen magníficas propiedades rejuvenecedoras, y protegen el corazón y la piel.

VALOR NUTRICIONAL DE UN PIMIENTO ROJO DE TAMAÑO MEDIO

Calorías	37
Grasas	0,36 g
Proteínas	1,18 g
Hidratos de carbono	7,18 g
Fibra	2,5 g
Vitamina A	6681 UI
Vitamina C	222 mg
Vitamina B6	0,35 mg
Ácido fólico	25,7 mcg

El color rojo se debe a la presencia de licopeno, un carotenoide de acción antioxidante que es solo uno de los nutrientes que los distinguen de los pimientos verdes. También contienen el doble de vitamina C y unas nueve veces más caroteno que estos. Parte importante de la dieta mediterránea, los pimientos rojos protegen el corazón ya que los altos niveles de antioxidantes fortalecen las arterias. La vitamina B6 y el ácido fólico reducen los niveles de homocisteína, una sustancia que aun siendo de origen natural en grandes cantidades se relaciona con cardiopatías y demencia.

• Ricos en vitaminas, minerales y fitoquímicos.
• La vitamina A previene el daño de los rayos ultravioletas en la piel, que provoca arrugas y manchas.
• Vitaminas C y B6, que son necesarias para fabricar los ácidos gástricos imprescindibles para destruir las bacterias perjudiciales.
• Contienen ácido fólico, que favorece la proliferación de células y la renovación cutánea.

Consejos prácticos:
Los pimientos tienen que pesar bastante y tener el rabillo verde y sano. La piel debe estar lisa, firme y sin arrugas. Evite las piezas con macas. Refrigérelos, sin lavar, en una bolsa de plástico hasta una semana. Los carotenoides liposolubles necesitan aceite para llegar al organismo, por lo que si aliña los pimientos rojos con aceite de oliva serán el doble de saludables y se absorberán mejor.

SALSA DE PIMIENTO ROJO

PARA 6 PERSONAS

2 pimientos (ajís, morrones)
rojos sin las semillas y
partidos por la mitad

2 dientes de ajo pelados

1 cucharada de aceite
de oliva

1 cucharada de zumo (jugo)
de limón

45 g/½ taza de pan blanco
recién rallado

sal y pimienta, al gusto

PREPARACIÓN

1 Ponga las mitades de pimiento y los ajos en una cazuela y cúbralos con agua. Llévelo a ebullición. Baje el fuego, tape la cazuela y cuézalo entre 10 y 15 minutos, o hasta que se ablanden y estén tiernos. Escúrralos y deje que se enfríen.

2 Trocee el pimiento y el ajo y póngalos en el robot de cocina con el aceite y el zumo de limón. Tritúrelo hasta obtener una pasta homogénea.

3 Añada el pan rallado y tritúrelo un poco más para incorporarlo. Salpimiente al gusto. Pase la salsa a una salsera, tápela con film transparente y refrigérela hasta que vaya a servirla.

BATIDO DE PIMIENTO ROJO

PARA 2 PERSONAS

240 ml/1 taza de zumo
(jugo) de zanahoria

240 ml/1 taza de zumo
(jugo) de tomate
(jitomate)

2 pimientos (ajís,
morrones) rojos
grandes sin las semillas
y troceados

1 cucharada de zumo
(jugo) de limón

pimienta

medias rodajas de limón,
para adornar

PREPARACIÓN

1 En el robot de cocina o la batidora, mezcle el zumo de zanahoria
   con el de tomate.

2 Añada el pimiento y el zumo de limón. Sazone con pimienta
   abundante y tritúrelo hasta que quede homogéneo. Reparta
   el batido entre 2 vasos, adórnelo con rodajas de limón y sírvalo.

TARTALETAS CON QUESO DE CABRA Y PIMIENTO ROJO

PARA 2 UNIDADES

200 g/7 oz de masa de hojaldre comprada

harina, para espolvorear

1 huevo grande batido

2 pimientos (ajís, morrones) rojos

4 cucharadas de pesto comprado

115 g/4 oz de queso de cabra en rodajas

ramitas de albahaca, para adornar

PREPARACIÓN

1   Precaliente el horno a 200 °C (400 °F). Extienda la masa en la encimera espolvoreada con un poco de harina.

2   Córtela en 2 porciones y páselas a la bandeja del horno. Con un cuchillo afilado, marque una línea a 1,5 cm (½ in) de todo el contorno de cada hojaldre. Haga marcas oblicuas en el borde exterior de cada uno y píntelo con el huevo. Hornee los hojaldres 10 minutos, hasta que se inflen y se doren.

3   Mientras tanto, chamusque los pimientos con la llama del fogón o bajo el gratinador precalentado hasta que se ennegrezcan. Envuélvalos en papel de aluminio y déjelos entibiar. Retire la piel chamuscada, enjuáguelos con agua fría y deseche el tallo y las semillas. Corte los pimientos en tiras finas.

4   Corte por la línea marcada de los hojaldres para desprender la parte central y presiónela con suavidad. Unte el centro de cada tartaleta con 2 cucharadas de pesto y luego disponga el pimiento por encima. Distribuya rodajas de queso de cabra por encima y hornee las tartaletas 5 minutos, o hasta que el queso se derrita. Sirva las tartaletas enseguida, adornadas con ramitas de albahaca.

12

COLES DE BRUSELAS

Las coles de Bruselas son ricas en nutrientes que refuerzan el sistema inmunológico, y deben consumirse asiduamente para disfrutar de sus propiedades beneficiosas.

Las coles de Bruselas son una rica hortaliza de invierno que aporta grandes niveles de vitamina C y otros nutrientes que refuerzan el sistema inmunológico. Son ricas en sulforafano, un compuesto de acción depurativa que limpia el organismo de carcinógenos. Según los estudios, el consumo habitual de coles de Bruselas previene los daños en el ADN y minimiza la proliferación de cáncer de mama. Incluso contienen pequeñas cantidades de ácidos grasos omega-3, cinc y selenio, un mineral que muchos adultos no ingieren en la cantidad diaria recomendada. Las personas que consumen grandes cantidades de esta y otras hortalizas del género Brassica podrían estar menos expuestos al cáncer de próstata, colon y pulmón.

- Ricas en indoles y otros compuestos que previenen el cáncer, también podrían minimizar la proliferación de células cancerígenas.
- Muy ricas en vitamina C, que refuerza el sistema inmunológico.
- Los indoles también ayudan a reducir el colesterol malo.
- Muy ricas en fibra, que favorece la salud intestinal.

Consejos prácticos:
Elija piezas de color verde intenso y cogollos apretados sin hojas amarillentas. Una breve cocción al vapor o con agua es la mejor forma de prepararlas y conservar los nutrientes. No las hierva demasiado, pues se destruiría la vitamina C. La cocción excesiva también altera su sabor y hace que despidan un olor desagradable.

VALOR NUTRICIONAL DE 5 COLES DE BRUSELAS

Calorías	43
Grasas	0,3 g
Proteínas	3,4 g
Hidratos de carbono	9 g
Fibra	3,8 g
Vitamina C	85 mg
Ácido fólico	61 mcg
Magnesio	23 mg
Calcio	42 mg
Selenio	1,6 mcg
Cinc	0,4 mg
Betacaroteno	450 mcg
Luteína/Zeaxantina	1590 mcg

COLES DE BRUSELAS CON PACANAS GLASEADAS

PARA 6 PERSONAS

680 g/1½ libras de coles (repollos) de Bruselas

120 ml/½ taza de agua

50 g/¼ de taza de mantequilla o margarina sin sal

60 g ⅓ de taza de azúcar moreno

3 cucharadas de salsa de soja

¼ de cucharadita de sal

75 g ½ taza de pacanas (nueces pecán) picadas tostadas

PREPARACIÓN

1 Lave bien las coles de Bruselas y retire las primeras hojas descoloridas. Córteles los tallos y marque una cruz en la base de cada col. Lleve a ebullición el agua en una cazuela grande y eche las coles de Bruselas. Tape la cazuela, baje el fuego y hiérvalas de 8 a 10 minutos, o hasta que estén tiernas. Escúrrelas y resérvelas.

2 Derrita la mantequilla en una sartén e incorpore el azúcar moreno, la salsa de soja y la sal. Llévelo a ebullición removiendo sin cesar. Añada las pacanas, baje el fuego y cuézalo 5 minutos, removiendo de vez en cuando y sin taparlo. Añada las coles de Bruselas, cuézalo a fuego medio 5 minutos y mézclelo bien antes de servirlo.

POLLO ESTOFADO CON COLES DE BRUSELAS

PARA 4 PERSONAS

2 cucharadas de aceite
de oliva

· 1 pollo de unos 1360 g/
3 libras en 8 trozos

115 g/4 oz de beicon
(tocino, panceta)
ahumado

2 cebollas en rodajitas
y 2 dientes de ajo

100 g/3½ oz de castañas
cocidas y peladas

1 taza de sidra seca y 1 de
caldo de pollo

255 g/9 oz de coles
(repollos) de Bruselas,
limpias y partidas por
la mitad

1 cucharada de mostaza
a la antigua y 2 de nata
(crema) extragrasa

1 puñadito de perejil
picado

PREPARACIÓN

1   Caliente el aceite en una cazuela grande apta para el horno a
    temperatura media-alta y dore bien el pollo en varias tandas.
    Apártelo del fuego y resérvelo.

2   Fría el beicon en la cazuela hasta que empiece a estar
    crujiente. Retírelo con la espumadera y resérvelo con el pollo.
    Fría la cebolla en la cazuela con la grasa del beicon hasta que
    se ablande. Incorpore el ajo en láminas y fríalo 2 o 3 minutos.

3   Devuelva el pollo y el beicon a la cazuela y añada las castañas
    partidas por la mitad. Vierta la sidra y deje que borbotee 2 o
    3 minutos. Vierta el caldo, tape la cazuela y cuézalo a fuego
    medio unos 30 minutos, destapándola 5 minutos antes de que
    acabe la cocción, hasta que el pollo esté bien hecho.

4   Agregue las coles, húndalas en el líquido hasta que queden
    bien recubiertas y déjelo borbotear otros 5 minutos. Incorpore
    la mostaza y la nata y adórnelo con el perejil picado.

PASTA Y COLES DE BRUSELAS AL LIMÓN

PARA 2 PERSONAS

1 nuez de mantequilla

½ cucharada de aceite de oliva

1 cebolla pequeña en daditos

3 ramas de romero picadas

170 g/6 oz de coles (repollos) de Bruselas en tiras finas

120 ml/½ taza de nata (crema) extragrasa

la ralladura y el zumo (jugo) de 1 limón

200 g/7 oz de pasta

sal y pimienta, al gusto

parmesano rallado, para servir

PREPARACIÓN

1 Derrita la mantequilla con el aceite en una cazuela. Añada la cebolla y el romero y salpimiente. Ablándela a fuego bajo, removiendo de vez en cuando, hasta que se dore.

2 Suba el fuego y eche las coles con 2 cucharadas de agua. Tápelo y caliéntelo a fuego lento 4 minutos, o hasta que las coles estén tiernas.

3 Destápelo y agregue la nata y la ralladura y el zumo de limón. Salpimiente.

4 Mientras tanto, ponga a hervir abundante agua con un poco de sal en una olla. Eche la pasta y, cuando el agua rompa de nuevo el hervor, cuézala al dente siguiendo las indicaciones del envase. Escúrrala y pásela a la cazuela con las coles y la nata.

5 Mézclelo bien y repártalo entre 2 boles precalentados. Sírvalo con abundante parmesano rallado.

13

TOMATES

El tomate es uno de los alimentos más saludables porque contiene licopeno, que previene el cáncer de próstata, y compuestos que evitan la formación de coágulos.

Los tomates son nuestra fuente principal de licopenos, un caroteno de acción antioxidante que combate cardiopatías y podría prevenir el cáncer de próstata. Asimismo ejercen un efecto anticoagulante gracias a los salicilatos, y contienen otros antioxidantes como vitamina C, quercetina y luteína. Los tomates tienen pocas calorías pero mucho potasio, y contienen una buena cantidad de fibra.

- Rica fuente de licopeno, que podría prevenir el cáncer de próstata.
- Un tomate mediano contiene casi una cuarta parte de la dosis diaria de vitamina C recomendada para un adulto.
- Ricos en potasio, que regula los fluidos corporales.
- La quercetina y la luteína previenen las cataratas y mantienen sanos el corazón y la vista.
- Contienen salicilatos, que ejercen un efecto anticoagulante.

Consejos prácticos:

Cuanto más rojo y maduro sea el tomate, más licopeno tendrá. Los tomates madurados al sol contienen más licopeno que los que se dejan madurar una vez recolectados. La piel del tomate es más rica en nutrientes que la pulpa, mientras que el corazón es rico en salicilatos, por lo que para aprovechar todos sus nutrientes no los pele ni les retire las pepitas. El organismo absorbe mejor el licopeno de los tomates crudos o cocidos si se consumen con aceite, por lo que si los prepara en ensalada alíñelos con una vinagreta o un aliño a base de aceite.

VALOR NUTRICIONAL DE UN TOMATE DE TAMAÑO MEDIO

Calorías	18
Grasas	0,2 g
Proteínas	0,9 g
Hidratos de carbono	3,9 g
Fibra	1,2 g
Vitamina C	12,7 mg
Potasio	237 mg
Licopeno	2573 mcg
Luteína/Zeaxantina	123 mcg

¿SABÍA QUE...?

El licopeno es más activo en los productos preparados, como kétchup, concentrado de tomate y zumo de tomate, que en el tomate crudo.

SALSA DE TOMATE

PARA UNOS 800 G/2½ TAZAS

1 cucharada de aceite
de oliva

1 cebolla pequeña picada

2-3 dientes de ajo majados

1 ramita de apio picada

1 hoja de laurel

4 tomates (jitomates) maduros
pelados y picados

1 cucharada de concentrado
de tomate (jitomate)
disuelto en 120 ml/¹⁄₂ taza
de agua

4 ramitas de orégano fresco

sal y pimienta, al gusto

PREPARACIÓN

1 Caliente el aceite a fuego medio en una cazuela de base gruesa. Sofría la cebolla, el ajo, el apio y el laurel, removiendo a menudo, 5 minutos.

2 Incorpore el tomate y el concentrado. Salpimiente y añada el orégano. Llévelo a ebullición, baje el fuego, tape la cazuela y déjelo a fuego suave, removiendo de vez en cuando, de 20 a 25 minutos, hasta que el tomate se haya reducido. Si prefiere que la salsa quede más espesa, prosiga con la cocción durante 20 minutos más.

3 Deseche el laurel y el orégano. Triture la salsa en la batidora o el robot de cocina hasta obtener un puré con trozos grandes. Si prefiere que la salsa quede más fina, pásela por un colador fino que no sea metálico. Sazónela con pimienta y caliéntela antes de servirla.

TARTA DE TOMATE

PARA 4 PERSONAS

2 cucharadas de
mantequilla con sal

1 cucharada de azúcar

9 tomates (jitomates)
pequeños partidos
por la mitad

1 diente de ajo majado

2 cucharaditas de vinagre
de vino blanco

sal y pimienta, al gusto

MASA

250 g/2 tazas de harina

1 pizca de sal

140 g/1¼ barras de
mantequilla

1 cucharada de orégano
picado, y un poco más
para adornar

80 ml ⅓ de taza de
agua fría

PREPARACIÓN

1　Precaliente el horno a 200 °C (400 °F). Para hacer el relleno,
derrita la mantequilla en una cazuela de base gruesa. Añada
el azúcar y remueva a fuego fuerte hasta que empiece a
dorarse. Aparte la sartén del fuego y, enseguida, añada los
tomates, el ajo y el vinagre, y remueva todo bien. Salpimiente.

2　Ponga los tomates con la parte cortada hacia abajo en un molde
de 23 cm (9 in) de diámetro, distribuyéndolos uniformemente.

3　Para preparar la masa, mezcle en el robot de cocina la harina
con la sal, la mantequilla y el orégano hasta que adquiera una
textura de migas de pan. Añada agua suficiente para ligar la
masa de modo que quede fina pero no pegajosa. Extiéndala
en un redondel de 25 cm (10 in) de diámetro y cubra con ella
la fuente de los tomates, remetiendo los bordes. Pínchela bien
con un tenedor para dejar escapar el vapor.

4　Hornee la tarta de 25 a 30 minutos, o hasta que la base adquiera
consistencia y se dore. Déjela reposar 2 o 3 minutos, pase un
cuchillo alrededor del contorno y vuélquela en una fuente de
servicio precalentada.

5　Esparza el orégano por encima de la tarta y sírvala enseguida.

TOMATES RELLENOS DE HUEVO

PARA 4 UNIDADES

4 tomates (jitomates) carnosos grandes

4 huevos

2 cucharadas de orégano fresco picado

25 g/¼ de taza de parmesano recién rallado

4 rebanadas de pan de masa madre o de pan blanco

1 diente de ajo partido por la mitad

2 cucharadas de aceite de oliva

sal y pimienta, al gusto

PREPARACIÓN

1   Precaliente el horno a 220 °C (425 °F). Corte la parte superior de los tomates, vacíelos y páselos a una fuente refractaria.

2   Casque 1 huevo en cada tomate, esparza el orégano por encima y salpiméntelos. Cúbralos con el queso y cuézalos en el horno precalentado unos 20 minutos, o hasta que el huevo cuaje pero las yemas queden líquidas.

3   Mientras tanto, frote las rebanadas de pan con el ajo, colóquelas en la bandeja del horno y rocíelas con el aceite. Hornéelas 5 o 6 minutos, hasta que se doren.

4   Ponga 1 tomate relleno sobre cada tostada y sírvalo enseguida.

14

ESPINACAS

Al contrario de lo que se cree, las espinacas no contienen niveles notables de hierro, pero aun así destacan por otras propiedades nutricionales excelentes.

Los investigadores han descubierto que muchos flavonoides de las espinacas ejercen una acción antioxidante y podrían prevenir el cáncer de estómago, piel, mama y próstata, entre otros. Las espinacas también son muy ricas en carotenos, que protegen la vista. Contienen abundante vitamina K, que refuerza los huesos y podría prevenir la osteoporosis. Asimismo las espinacas contienen péptidos, que bajan la tensión arterial, además de ser relativamente ricas en vitamina E, que protege el cerebro del deterioro cognitivo asociado a la edad.

- Contienen ácido alfa-lipoico y glutatión para mantener el rendimiento intelectual.
- Ácido fólico para la proliferación, la vitalidad y la renovación celular.
- Buenos niveles de aminoácidos esenciales, imprescindibles para la reparación de huesos y músculos.
- Hierro para hacer llegar el oxígeno a todo el organismo, que a su vez es necesario para las células.

Consejos prácticos:
Elija hojas que no estén amarillentas; de hecho, cuanto más oscuras sean, más nutrientes tendrán. Los carotenos de las espinacas se absorben mejor cuando las hojas se cuecen en lugar de comerse crudas y se aliñan con aceite. Para conservar los antioxidantes, cuézalas al vapor o saltéelas. Para prepararlas, lávelas y hiérvalas solo con el agua que retengan tras lavarlas, removiendo si fuera necesario.

VALOR NUTRICIONAL DE 100 G/3½ TAZAS DE ESPINACAS

Calorías	23
Grasas	0,4 g
Proteínas	2,2 g
Hidratos de carbono	3,6 g
Fibra	2,2 g
Vitamina C	28 mg
Vitamina A	9377 UI
Betacaroteno	5626 mcg
Vitamina E	2,03 mg
Vitamina K	483 mg
Ácido fólico	194 mg
Calcio	99 mg
Magnesio	79 mg
Hierro	2071 mg

CURRY ROJO CON ESPINACAS

PARA 4 PERSONAS

2 cucharadas de aceite vegetal

2 cebollas en rodajitas

1 manojo de espárragos trigueros

420 ml/1¾ tazas de leche de coco en conserva baja en grasa

2 cucharadas de pasta de curry rojo

3 hojas frescas de lima (limón) kafir

225 g/8 tazas de espinacas tiernas

2 bok choy pequeños picados y 1 col (repollo) china pequeña en tiras

1 puñado de cilantro picado

arroz blanco, para acompañar

PREPARACIÓN

1 Caliente un wok o una sartén a fuego medio-fuerte. Vierta el aceite y caliéntelo 30 segundos. Saltee la cebolla y los espárragos un par de minutos.

2 Añada la leche de coco, la pasta de curry y las hojas de lima, y llévelo a ebullición a fuego suave. Incorpore las espinacas, el bok choy y la col china, y prosiga con la cocción 2 o 3 minutos, hasta que se ablanden. Incorpore el cilantro y sírvalo con arroz.

TRIÁNGULOS DE ESPINACAS Y FETA

PARA 6 UNIDADES

2 cucharadas de aceite de oliva, y un poco más para engrasar

1 manojo de cebolletas (cebollas tiernas) picadas

450 g/1 libra de espinacas troceadas, descongeladas si fuera necesario

1 huevo batido

125 g/1 taza de queso feta desmenuzado

½ cucharadita de nuez moscada recién rallada

6 láminas de pasta filo

50 g/4 cucharadas de mantequilla derretida

1 cucharada de semillas de sésamo

sal y pimienta, al gusto

PREPARACIÓN

1 Precaliente el horno a 200 °C (400 °F) y unte la bandeja con aceite.

2 Caliente el aceite en un wok o una sartén grande y saltee la cebolleta 2 minutos. Eche las espinacas y prosiga con la cocción hasta que se ablanden. Cuézalas 2 o 3 minutos, removiendo con frecuencia. Escúrralas y deje que se entibien.

3 Incorpore el huevo, el queso y la nuez moscada a las espinacas, y salpimiente.

4 Pinte 3 láminas de pasta filo con mantequilla. Cubra cada una con otra lámina y píntelas también. Corte cada pila por la mitad para formar 6 tiras largas en total. Disponga 1 cucharada del relleno de espinacas sobre una de las esquinas de cada tira.

5 Envuelva el relleno doblando esa esquina de pasta por encima, y luego dóblelo todo hacia la dirección opuesta para cerrarlo bien. Siga doblando la tira haciendo ángulos para formar un paquetito triangular, y deje el último doblez abajo.

6 Ponga los triángulos en la bandeja del horno, píntelos con mantequilla y esparza el sésamo. Hornéelos de 12 a 15 minutos, o hasta que estén dorados y crujientes. Sírvalos.

PASTA CON ESPINACAS Y JAMÓN

PARA 4 PERSONAS

225 g/8 oz de macarrones

2 cucharadas de aceite de oliva

1 cebolla en rodajitas

1 guindilla (ají picante, chile) roja seca picada

2 tomates (jitomates) maduros en dados

225 g/8 oz de jamón cocido cortado en tiras

225 g/8 oz de espinacas tiernas

sal y pimienta

PREPARACIÓN

1 Ponga a hervir agua con sal en una olla grande. Eche los macarrones y, contando desde que vuelva a romper el hervor, cuézalos al dente siguiendo las indicaciones del envase. Escúrralos.

2 En una cazuela grande, caliente el aceite a fuego medio y fría la cebolla 2 o 3 minutos, hasta que esté tierna.

3 Añada la guindilla y el tomate y, sin dejar de remover, cuézalo 2 minutos. Eche el jamón y prosiga con la cocción 2 o 3 minutos, removiendo, hasta que esté bien caliente.

4 Incorpore las espinacas, remueva hasta que se ablanden y agregue la pasta. Salpimiente al gusto y sírvalo.

15

AJO

Conocido por sus propiedades saludables desde tiempos inmemoriales, el ajo es un valioso antibiótico natural que además podría prevenir cardiopatías y algunos tipos de cáncer.

VALOR NUTRICIONAL DE 2 DIENTES DE AJO

Calorías	9
Grasas	trazas
Proteínas	0,4 g
Hidratos de carbono	2 g
Fibra	trazas
Vitamina C	2 mg
Potasio	24 mg
Calcio	11 mg
Selenio	11 mg

Aunque suele emplearse en pequeñas cantidades, el ajo ejerce un efecto positivo en la salud. Contiene potentes compuestos de azufre, que le confieren su intenso olor pero además son la fuente principal de sus efectos beneficiosos. Según los estudios, el consumo habitual de ajo reduce el riesgo de cardiopatías y varios tipos de cáncer. Es un potente antibiótico e inhibe infecciones por hongos como el pie de atleta. Además, podría evitar las úlceras estomacales. Ingerido en cantidades razonables, el ajo es una rica fuente de vitamina C, selenio, potasio y calcio.

- Podría prevenir la formación de coágulos y la acumulación de placa en las arterias y, por tanto, evitar cardiopatías.
- El consumo habitual de ajo reduce la incidencia de cáncer de colon, estómago y próstata.
- Antibiótico natural, antiviral y antifúngico.
- Podría prevenir úlceras estomacales.

Consejos prácticos:

Elija cabezas de ajos grandes, duras y sin magulladuras, y guárdelas en un recipiente agujereado en un lugar oscuro, fresco y seco. Para pelarlos, aplaste los dientes con la hoja de un cuchillo ancho y sométalos a una breve cocción para que conserven sus compuestos beneficiosos. Maje o pique el ajo y déjelo reposar unos minutos antes de cocinar con él. Para eliminar el mal aliento, masque unas hojas de perejil después de comer.

¿SABÍA QUE...?

La cocción de carne a altas temperaturas puede provocar efectos carcinogénicos, pero si se cocina con ajo se reduce la producción de estas sustancias nocivas.

CHAMPIÑONES AL AJILLO

PARA 4 PERSONAS

2 cabezas de ajos

2 cucharadas de aceite de oliva

340 g/12 oz de champiñones oscuros, partidos por la mitad si son grandes

1 cucharada de perejil picado

8 cebolletas (cebollas tiernas) troceadas medianas

sal y pimienta

PREPARACIÓN

1   Precaliente el horno a 180 °C (350 °F). Separe los dientes de ajo de las cabezas y májelos un poco. Páselos a una fuente refractaria. Rocíe los ajos con 2 cucharaditas del aceite, salpimiéntelos generosamente y áselos 30 minutos en el horno precalentado.

2   Saque los ajos del horno y rocíelos con 1 cucharadita del aceite restante. Devuélvalos al horno y áselos 45 minutos más. Sáquelos, déjelos enfriar y luego pélelos.

3   Caliente una sartén a fuego medio. Vierta el aceite de la fuente refractaria y el aceite restante y saltee los champiñones, removiendo a menudo, 4 minutos.

4   Añada los dientes de ajo, el perejil y la cebolleta y saltéelo, removiendo, 5 minutos más. Salpimiente y sírvalo enseguida.

PAVO CON JUDIONES AL AJILLO

PARA 4 PERSONAS

1 cucharada de harina

1 cucharadita de tomillo

4 filetes de pavo

2 cucharadas de aceite de oliva

1 cebolla roja en rodajitas

4 dientes de ajo majados

180 g/1 taza de judiones (frijoles grandes) cocidos, escurridos y enjuagados

410 g/14½ oz de tomate (jitomate) troceado en conserva

sal y pimienta, al gusto

PREPARACIÓN

1 Ponga la harina y el tomillo en un plato, salpimiéntelo y mézclelo. Reboce bien los filetes por ambos lados.

2 Caliente el aceite en una sartén y fría los filetes a fuego fuerte, dándoles la vuelta una vez, 2 o 3 minutos hasta que se doren.

3 Añada la cebolla y los ajos, cuézalo 1 minuto más y luego agregue los judiones y el tomate.

4 Llévelo a ebullición, baje el fuego, tape la sartén y cuézalo, removiendo a menudo, entre 10 y 15 minutos, hasta que el pavo quede tierno y no se vea rosado al cortarlo con un cuchillo. Salpimiente al gusto y sírvalo.

CREMA DE CALABAZA ASADA CON AJO Y TOMILLO

PARA 6 PERSONAS

60 ml/¹⁄₄ de taza de aceite de oliva, y un poco más para rociar

2 cabezas de ajos

1 calabaza (zapallo anco) pelada, sin las pepitas (semillas) y troceada

2 cucharadas de hojas de tomillo fresco, y unas ramitas más para adornar

2 cucharadas de mantequilla

1 cebolla picada

1 cucharada de harina

5 tazas de caldo de pollo

120 ml/¹⁄₂ taza de nata (crema) fresca espesa o nata (crema) agria, para servir

sal y pimienta, al gusto

PREPARACIÓN

1 Precaliente el horno a 190 °C (375 °F). Rocíe las cabezas de ajo con un poquito del aceite, salpiméntelas, envuélvalas en papel de aluminio y póngalas en una fuente refractaria grande. Mezcle la calabaza con el resto del aceite, salpiméntela y aderécela con la mitad del tomillo. Dispóngala en la fuente de los ajos y ásela 1 hora en el horno precalentado.

2 Derrita la mantequilla en una cazuela. Rehogue la cebolla a fuego medio 5 minutos o hasta que se ablande. Incorpore la harina y cuézalo 2 minutos sin dejar de remover. Agregue el caldo a cucharadas.

3 Añada la calabaza asada y cuézalo 10 minutos a fuego lento.

4 Desenvuelva las cabezas de ajo y deje que se enfríen. Cuando ya no quemen, apriete los dientes de ajo para que salgan de su piel e incorpórelos a la sopa.

5 Añada el resto del tomillo, y tritúrelo bien en el robot de cocina o la batidora, en tandas si fuera necesario. Devuelva la crema a la cazuela enjuagada y caliéntela a fuego lento, evitando que vuelva a hervir. Sírvala con la nata adornada con ramitas de tomillo.

16

COL RIZADA

La col rizada, una de las especies más nutritivas del género Brassica, contiene más antioxidantes que cualquier otra hortaliza y es una buena fuente de vitamina C.

La col rizada es una de las especies más nutritivas del género Brassica. Es la hortaliza más rica en antioxidantes, así como en calcio y hierro. Una sola ración contiene el doble de la cantidad diaria recomendada de vitamina C, que favorece la absorción del abundante hierro presente en sus hojas. Una ración de 100 g (1½ tazas) también proporciona una quinta parte de las necesidades diarias de calcio para un adulto. La col rizada es rica en selenio, que previene el cáncer, y contiene magnesio y vitamina E para proteger el corazón. Sus más de 45 flavonoides tienen propiedades antioxidantes y antiinflamatorias.

- Rica en flavonoides y antioxidantes para prevenir el cáncer.
- Contiene indoles, que reducen el colesterol malo y previenen el cáncer.
- Rica en calcio para fortalecer los huesos.
- Muy rica en carotenos para proteger la vista.

Consejos prácticos:

Lávela bien para eliminar la tierra o la suciedad acumulada en los pliegues de las hojas. No deseche las hojas externas más verdes, ya que contienen altos niveles de carotenos e indoles. Prepárela al vapor o salteada. Su sabor intenso combina bien con panceta, huevos y queso. Tenga en cuenta que la col rizada, como las espinacas, pierde mucho volumen tras la cocción.

VALOR NUTRICIONAL DE 100 G/1½ TAZAS DE COL RIZADA TROCEADA

Calorías	50
Grasas	0,7 g
Proteínas	3,3 g
Hidratos de carbono	10 g
Fibra	2 g
Vitamina C	120 mg
Ácido fólico	29 mcg
Vitamina E	1,7 mg
Potasio	447 mg
Magnesio	34 mg
Calcio	135 mg
Hierro	1,7 mg
Selenio	0,9 mcg
Betacaroteno	9226 mcg
Luteína/Zeaxantina	39 550 mcg

¿SABÍA QUE...?

La col rizada contiene sustancias de origen natural que interfieren en la función de la tiroides, por lo que si padece alguna afección relacionada con esta glándula deberá evitar su consumo.

RIBOLLITA

PARA 4 PERSONAS

3 cucharadas de aceite de oliva, 2 cebollas rojas y 3 zanahorias

3 ramas de apio y 3 dientes de ajo, picados

1 cucharada de tomillo fresco

400 g/14 oz de alubias (chícharos) blancas cocidas

400 g/14 oz de tomate (jitomate) troceado de lata

480 ml/2 tazas de caldo de verduras

2 cucharadas de perejil picado

450 g/1 libra de col (repollo) rizada limpia y en tiras

1 chapata pequeña del día anterior, troceada

sal y pimienta, al gusto

PREPARACIÓN

1   Caliente el aceite en una cazuela grande y rehogue la cebolla picada, la zanahoria en rodajas y el apio picado de 10 a 15 minutos, removiendo a menudo. Añada el ajo y el tomillo picados y salpimiente. Prosiga con la cocción un par de minutos más, hasta que las hortalizas se doren.

2   Añada las alubias, escurridas y enjuagadas, y, después, el tomate. Vierta caldo suficiente para cubrir los ingredientes. Lleve la sopa a ebullición y cuézala 20 minutos. Añada el perejil y la col y prosiga con la cocción 5 minutos más. Incorpore el pan y, si fuera necesario, añada un poco más de caldo. La sopa debe quedar espesa.

3   Rectifique la sazón si fuera necesario. Reparta la sopa entre boles o platos precalentados y sírvala.

ÑOQUIS CON COL RIZADA Y ALCACHOFA

PARA 4 PERSONAS

200 g/3 tazas de col (repollo) rizada en tiras

2 cucharadas de aceite de oliva y 1 cebolla picada

400 g/14 oz de corazones de alcachofa (alcaucil) en conserva, escurridos

2 dientes de ajo picados

1 cucharadita de copos de guindilla (chile, ají picante) roja majados

el zumo (jugo) de ½ limón

2 cucharadas de piñones

sal, al gusto

ÑOQUIS

6 patatas (papas) asadas (aprox. 675 g/ 1½ libras)

250 g/2 tazas de harina,

2 cucharadas de aceite de oliva

PREPARACIÓN

1   Para hacer los ñoquis, pele las patatas y hágalas puré.

2   Vuelque el puré de patata en la encimera espolvoreada con harina y trabájelo 5 minutos con la harina y el aceite. Divida la masa en 4 partes y forme una tira larga con cada una. Córtelas en trocitos de unos 2 cm (¾ in) de largo.

3   Lleve agua con un poco de sal a ebullición en una olla. Eche la col y, cuando el agua vuelva a hervir, cuézala de 6 a 8 minutos. Escúrrala y presiónela bien para retirar toda el agua posible.

4   En una sartén de base gruesa, caliente el aceite a fuego fuerte. Rehogue la cebolla durante 3 minutos y, después, agregue las alcachofas en cuartos, el ajo y la guindilla. Prosiga con la cocción 2 o 3 minutos más e incorpore la col, el zumo de limón y los piñones. Resérvelo.

5   Lleve agua con un poco de sal a ebullición en una olla. Eche unos cuantos ñoquis y, cuando el agua rompa de nuevo el hervor, cuézalos 2 o 3 minutos, hasta que floten. Cueza los ñoquis restantes, por tandas, del mismo modo, luego mézclelos con la col y sírvalos enseguida.

POLLO GUISADO CON COL RIZADA Y GARBANZOS

PARA 4 PERSONAS

1½ cucharadas de aceite de oliva

8 muslos de pollo

1 cebolla roja grande picada

2 dientes de ajo picados

1 cucharadita de copos de guindilla (chile, ají picante) roja majados

1 cucharada de concentrado de tomate (jitomate)

240 ml/1 taza de vino blanco seco

240 ml/1 taza de caldo de pollo

4 ramitas de tomillo fresco

400 g/14 oz de tomate (jitomate) troceado de lata

400 g/14 oz de garbanzos (chícharos) cocidos, escurridos y enjuagados

80 g/2¾ oz de col (repollo) rizada cortada en tiras

1 puñadito de perejil picado

sal y pimienta, al gusto

PREPARACIÓN

1   Caliente 1 cucharada del aceite en una cazuela grande a fuego medio-alto. Sazone generosamente el pollo, páselo a la cazuela y dórelo bien. Resérvelo en una fuente.

2   Eche el aceite restante y la cebolla en la cazuela y sofríala 5 minutos hasta que se ablande. Agregue el ajo y la guindilla y cuézalo un par de minutos más. Incorpore el concentrado de tomate, vierta el vino y el caldo y llévelo a ebullición.

3   Devuelva el pollo a la cazuela junto con el tomillo. Tape la cazuela y cuézalo 10 minutos a fuego lento. Destápela, incorpore el tomate y déjelo borbotear 20 minutos, dándole la vuelta al pollo de vez en cuando.

4   Eche los garbanzos y la col a la cazuela, vuelva a taparla y cuézalo 6 minutos o hasta que el pollo esté bien hecho y la col, tierna. Sírvalo caliente con el perejil esparcido por encima.

17

APIO

Considerado el tentempié de las dietas hipocalóricas, el apio es rico en potasio y calcio, evita la retención de líquidos y previene la hipertensión.

El apio está muy indicado en las dietas hipocalóricas ya que contiene mucha agua y pocas calorías. Aun así, es una hortaliza práctica y sana por muchas otras razones: es una buena fuente de potasio y muy rica en calcio, que fortalece los huesos, regula la tensión arterial y equilibra el sistema nervioso. Las ramas y las hojas más oscuras del apio contienen más vitaminas y minerales que las más claras, por lo que no hay que desecharlas. Asimismo, el apio contiene poliacetilenos y ftalidos, dos compuestos que previenen afecciones inflamatorias y controlan la hipertensión.

• Bajo en calorías y grasa y rico en fibra.
• Rica fuente de potasio.
• El calcio protege los huesos y regula la tensión arterial.
• Protector de afecciones inflamatorias.

Consejos prácticos:
Elija cogollos de apio que tengan las hojas frescas y de un color verde intenso. Guárdelos en una bolsa de plástico o film transparente para que las ramas no se enmustien. El apio enriquece las sopas y los guisos y les aporta densidad, y las ramas pueden escalfarse con caldo de verduras y servirse como guarnición de pescado, aves o caza. Las hojas pueden comerse en ensalada o como guarnición.

VALOR NUTRICIONAL DE 100 G/2½ RAMAS DE APIO

Calorías	16
Grasas	0,17 g
Proteínas	0,69 g
Hidratos de carbono	2,97 g
Fibra	1,6 g
Vitamina C	3,1 mg
Vitamina B3	0,32 mg
Vitamina B5	0,25 mg
Ácido fólico	36 mg
Calcio	40 mg
Magnesio	11 mg
Potasio	260 mg

RECONSTITUYENTE DE APIO Y MANZANA

PARA 2 PERSONAS

3 ramas de apio picadas

1 manzana crujiente tipo Red Delicious pelada, sin el corazón y en dados

600 ml/2½ tazas de leche semidesnatada (semidescremada)

1 pizca de azúcar (opcional)

sal, al gusto

PREPARACIÓN

1 Triture el apio con la manzana y la leche en la batidora hasta que esté homogéneo.

2 Incorpore el azúcar, si lo desea, y sálelo. Reparta el batido entre 2 vasos enfriados y sírvalo.

CREMA DE ZANAHORIA CON APIO Y MANZANA

PARA 4 PERSONAS

900 g/2 libras de
zanahorias (unas 15)
en daditos

1 cebolla picada

3 ramas de apio en dados

1 litro/4 tazas de caldo de
verduras

2 manzanas Pippin o Gala

2 cucharadas de
concentrado de tomate
(jitomate)

1 hoja de laurel

sal y pimienta, al gusto

PARA ADORNAR

1 manzana Pippin o Gala
mediana en cuñas finas

el zumo (jugo) de ¹/₂ limón

hojas de apio troceadas

PREPARACIÓN

1   Ponga la zanahoria, la cebolla y el apio en una cazuela y vierta
    el caldo. Llévelo todo a ebullición y luego cuézalo a fuego lento,
    tapado, unos 10 minutos.

2   Mientras tanto, pele las manzanas, quíteles el corazón y
    córtelas en dados. Añada a la sopa los dados de manzana, el
    concentrado de tomate y el laurel, y llévela a ebullición a fuego
    medio. Baje el fuego y cuézala 20 minutos a fuego lento. Retire y
    deseche el laurel.

3   Mientras tanto, ponga las cuñas de manzana en un cazo y
    rocíelas con el zumo de limón. Caliéntelas a fuego lento un par
    de minutos, o hasta que estén tiernas. Escúrralas y resérvelas.

4   Triture bien la sopa en el robot de cocina o la batidora, en
    tandas si fuera necesario. Devuélvala a la cazuela enjuagada,
    caliéntela a fuego lento y salpimiéntela. Reparta la crema entre
    4 boles precalentados, adórnela con la manzana reservada y
    hojas de apio, y sírvala enseguida.

BUEY CON APIO A LA TAILANDESA

PARA 4 PERSONAS

510 g/18 oz de solomillo de buey (vaca) cortado en tiras finas

240 ml/1 taza de aceite vegetal

3 ramas de apio en tiras largas de 2,5 cm/1 in de grosor

1 pimiento (ají, morrón) rojo en tiras finas

1 guindilla (ají picante, chile) roja sin las pepitas (semillas) y picada

cuñas de lima (limón), para adornar

arroz hervido y salsa de pescado tailandesa, para servir

ADOBO

1 cucharadita de sal

2 cucharadas de salsa de pescado tailandesa

PREPARACIÓN

1 Para preparar el adobo, mezcle en un cuenco la sal y la salsa de pescado.

2 Añada la carne y remueva para que se impregne bien. Tápela con film transparente y déjela adobar en el frigorífico 1 hora.

3 En el wok precalentado, caliente el aceite a 180-190 °C (350-375 °F,) o hasta que un dado de pan se dore en 30 segundos. Añada la carne y fríala 2 o 3 minutos, o hasta que esté crujiente. Aparte el wok del fuego y, con una espumadera, retire la carne y déjela escurrir sobre papel de cocina. Reserve 2 cucharadas del aceite del wok y deseche el resto.

4 Vierta el aceite reservado en el wok y, cuando esté caliente, saltee el apio, el pimiento y la guindilla 1 minuto. Incorpore la carne y caliéntela.

5 Adórnela con la lima y sírvala enseguida con arroz y salsa de pescado.

18

GUISANTES

Recién recolectados o congelados, los guisantes son ricos en vitamina C, son una buena fuente de fibra y contienen luteína, que protege la vista.

VALOR NUTRICIONAL DE 100 G/⅔ DE TAZA DE GUISANTES DESVAINADOS

Calorías	81
Grasas	0,4 g
Proteínas	5,4 g
Hidratos de carbono	14,5 g
Fibra	5,1 g
Vitamina C	40 mg
Vitamina E	trazas
Ácido fólico	65 mcg
Potasio	244 mg
Luteína/Zeaxantina	2477 mcg

Los guisantes son una fuente excelente de vitaminas y minerales. Contienen cantidades importantes de antioxidantes como vitamina C, ácido fólico y vitamina B3, y al ser ricos en luteína y zeaxantina previenen la degeneración macular asociada a la edad. Las vitaminas del grupo B también previenen la osteoporosis y reducen la incidencia de apoplejías al mantener bajos los niveles de homocisteína en sangre. Los guisantes son una buena fuente de proteínas para las personas que llevan una dieta restringida, como los vegetarianos. Además, parte de la fibra incluye pectina, una sustancia gelatinosa que reduce el colesterol y previene cardiopatías y arteriosclerosis.

• Contienen varios nutrientes y fitoquímicos cardiosaludables.
• Ricos en carotenos, que protegen la vista y previenen el cáncer.
• Ricos en fibra total y soluble, que reduce el colesterol.
• Muy ricos en vitamina C.

Consejos prácticos:

Si compra los guisantes con las vainas, compruebe que estén bien apretados. Si están poco frescos estarán casi cuadrados, tendrán menos sabor y serán harinosos porque los azúcares se habrán transformado en almidón. Si las vainas son tiernas pueden comerse con los guisantes dentro, y si estos son tiernos pueden comerse crudos. Cuézalos al vapor o hiérvalos en muy poca agua brevemente, de lo contrario la vitamina C quedaría en el agua.

¿SABÍA QUE...?

A menudo los guisantes congelados contienen más vitamina C y otros nutrientes que los guisantes frescos con las vainas, que pueden llevar varios días recolectados.

CREMA FRÍA DE GUISANTES

PARA 4 PERSONAS

480 ml/2 tazas de caldo
de verduras o agua

450 g/3 tazas de guisantes
(arvejas, chícharos)
congelados

3 cebolletas (cebollas tiernas
o de verdeo) troceadas

300 ml/1¼ tazas de yogur

sal y pimienta, al gusto

PARA ADORNAR

2 cucharadas de menta picada

ralladura de limón

aceite de oliva

PREPARACIÓN

1 Lleve el caldo a ebullición en una cazuela a fuego medio. Baje el fuego, eche los guisantes y la cebolleta, y cuézalos 5 minutos.

2 Déjelo enfriar un poco y, después, tritúrelo bien con la batidora de brazo o el robot de cocina. Pase la crema a un bol grande, salpiméntela e incorpore el yogur. Tape el bol con film transparente y déjelo en el frigorífico varias horas, o hasta que la crema esté bien fría.

3 Para servir la crema, remuévala bien y repártala entre 4 boles. Adórnela con la menta picada, ralladura de limón y un chorrito de aceite de oliva.

GUISANTES CON LECHUGA

PARA 4-6 PERSONAS

25 g/2 cucharadas de
mantequilla con sal,
y una nuez más

1 cucharadita de aceite
de girasol

30 g/1 oz de panceta
picada

1 chalote (echalote)
picado

300 g/2 tazas de guisantes
(arvejas, chícharos)

300 ml/1¼ tazas de caldo
de verduras o agua

1 lechuga francesa sin el
troncho y en tiras finas

2 cucharadas de perifollo
picado

sal y pimienta

PREPARACIÓN

1   Derrita la mantequilla con el aceite a fuego medio en una
cazuela. Rehogue la panceta 3 minutos. Añada el chalote y
rehóguelo 3 minutos más.

2   Agregue los guisantes y el caldo y salpimiente, teniendo
en cuenta que la panceta es muy salada. Tápelo, llévelo a
ebullición a fuego fuerte y, después, destápelo, baje un poco
el fuego y cuézalo 5 minutos.

2   Añada la lechuga y prosiga con la cocción, sin tapar, hasta
que los guisantes estén tiernos y el líquido se haya evaporado.
Incorpore la nuez de mantequilla y rectifique la sazón. Añada
el perifollo, remueva y sírvalo enseguida.

RISOTTO DE GUISANTES

PARA 4 PERSONAS

2 cucharadas de aceite
de oliva

3 cucharadas de mantequilla

1 cebolla picada

1 diente de ajo majado

2 tazas de arroz arborio

160 ml/²⁄₃ de taza de vino
blanco seco

1,5 litros/6½ tazas de caldo
caliente de pollo o de
verduras

450 g/3 tazas de guisantes
(arvejas, chícharos) frescos
o descongelados

2 cucharadas de menta picada
sal y pimienta

PREPARACIÓN

1   Caliente el aceite con 1 cucharada de la mantequilla en una
cazuela grande de base gruesa. Eche la cebolla y, removiendo,
rehóguela 4 o 5 minutos minutos hasta que esté tierna, pero sin
que llegue a dorarse.

2   Sofría el ajo y el arroz, removiendo, un par de minutos.
Vierta el vino, llévelo a ebullición y cuézalo, removiendo,
alrededor de 1 minuto.

3   Agregue el caldo por tandas sin dejar de remover, dejando
que el arroz lo absorba antes de añadir más. Incorpore los
guisantes y la mitad de la menta con la última adición de caldo.

4   Siga removiendo hasta que el arroz haya absorbido casi todo el
líquido y esté tierno, pero entero por el centro. Añada el resto
de la mantequilla.

5   Salpimiente, incorpore la menta restante y sírvalo.

19

REMOLACHAS

Este tubérculo dulce y encarnado no es de las hortalizas más nutritivas que existen pero merece la pena incluirla en la dieta, sobre todo en invierno.

Hay remolacha blanca y dorada además de la roja, pero esta última variedad contiene más nutrientes que las otras dos. La betaína, que le confiere su color intenso, es un antioxidante incluso más potente que los polifenoles para bajar la tensión arterial. Según un estudio científico, los altos niveles de nitratos del zumo de remolacha previenen los coágulos como si de aspirina se tratase, además de proteger el revestimiento de los vasos sanguíneos. La remolacha roja también es rica en antocianinas, que previenen el cáncer de colon, entre otros.

- La betaína reduce la tensión arterial y tiene propiedades antiinflamatorias.
- Contienen nitratos que previenen la formación de coágulos.
- Las antocianinas previenen el cáncer.
- Rica fuente de hierro, magnesio y ácido fólico.

Consejos prácticos:

La remolacha cocida se conserva varios días en un recipiente hermético refrigerado, o bien puede triturarse y congelarse. Para prepararla, corte las hojas y deje un tallo de unos 5 cm (2 in) para que no se «desangre» durante la cocción. Puede hervirla entera unos 50 minutos o untarla con un poco de aceite, envolverla en papel de aluminio y asarla 1 hora en el horno a 200 °C (400 °F). Después le será muy fácil pelarla. La remolacha también puede comerse cruda, pelada y bien rallada en ensalada, o bien licuarse.

VALOR NUTRICIONAL DE 100 G/1¼ TAZAS DE REMOLACHAS

Calorías	36
Grasas	trazas
Proteínas	1,7 g
Hidratos de carbono	7,6 g
Fibra	1,9 g
Vitamina C	5 mg
Ácido fólico	150 mg
Potasio	380 mg
Calcio	20 mg
Hierro	1,0 mg
Magnesio	23 mg

ENSALADA DE REMOLACHA Y ESPINACAS

PARA 4 PERSONAS

45 ml/3 cucharadas de aceite de oliva virgen extra

el zumo (jugo) de 1 naranja

1 cucharadita de azúcar

1 cucharadita de semillas de hinojo

400 g/5 tazas de remolacha (betarraga) cocida en dados

110 g/4 oz de espinacas tiernas

sal y pimienta, al gusto

PREPARACIÓN

1 · Caliente el aceite en un cazo de base gruesa. Añada el zumo de naranja, el azúcar y las semillas de hinojo, y salpimiente. Remueva hasta que el azúcar se haya disuelto.

2 · Agregue la remolacha y remueva con suavidad para que se impregne bien. Apártelo del fuego.

3 · Disponga las espinacas en una ensaladera. Reparta la remolacha caliente por encima y sirva la ensalada enseguida.

HAMBURGUESAS DE REMOLACHA

PARA 4 UNIDADES

85 g/¹/₂ taza de mijo

180 ml/³/₄ de taza de agua
con una pizca de sal

80 g/1 taza de remolacha
(betarraga) rallada (1 o
2 unidades)

55 g/¹/₂ taza de zanahoria
y 55 g/¹/₂ taza de
calabacín (zapallito)

75 g/¹/₂ taza de nueces

2 cucharadas de vinagre
de sidra

2 cucharadas de aceite
de oliva virgen extra,
y un poco más para freír

sal y pimienta

1 huevo

2 cucharadas de maicena

4 panecillos de cereales
partidos por la mitad

hojas de lechuga

PREPARACIÓN

1 Enjuague y escurra el mijo y póngalo en un cazo con el agua
   salada. Caliéntelo a fuego medio, llévelo a ebullición, tápelo
   y cuézalo a fuego lento de 20 a 25 minutos. A continuación,
   apártelo del fuego y déjelo reposar 5 minutos, tapado.

2 Ponga en un bol grande la remolacha, la zanahoria y el
   calabacín rallados y las nueces picadas. Añada el mijo, el
   vinagre, el aceite, ¹/₂ cucharadita de sal y ¹/₄ de cucharadita de
   pimienta, y mézclelo bien. Incorpore el huevo y la maicena y
   refrigere la pasta 2 horas.

3 Llene ¹/₂ taza con la pasta de hortalizas y mijo, comprimiéndola
   bien, vuélquela y dele forma de hamburguesa. Repita la
   operación hasta obtener 4 unidades. Caliente una plancha o
   una sartén grande a fuego medio y píntela con el aceite. Ase
   las hamburguesas unos 5 minutos por cada lado, dándoles la
   vuelta con cuidado, hasta que se doren.

4 Colóquelas en los panecillos con hojas de lechuga y sírvalas
   enseguida.

RISOTTO DE REMOLACHA

PARA 6 PERSONAS

6 remolachas (betarragas) crudas enteras y sin pelar

2 cucharadas de aceite de oliva

1 cebolla picada

1 diente de ajo picado

260 g/1⅓ tazas de arroz arborio

800 ml/3⅓ tazas de caldo de verduras

240 ml/1 taza de vino blanco seco

sal y pimienta, al gusto

ADEREZO

1 cucharada de semillas de alcaravea (comino, hinojo de prado)

1 cucharada de pan blanco recién rallado

½ cucharadita de azúcar

1 cucharada de aceite vegetal

PREPARACIÓN

1   Ponga las remolachas en una olla, cúbralas con agua y llévelas a ebullición. Déjelas en el fuego 45 minutos, o hasta que estén tiernas. Escúrralas y pélelas bajo el chorro de agua fría. Retire los restos de piel con el cuchillo y reserve las remolachas.

2   Precaliente el horno a 180 °C (350 °F). Caliente el aceite a fuego medio en una cazuela grande apta para el horno. Sofría la cebolla y el ajo 3 o 4 minutos, o hasta que estén blandos. Incorpore el arroz, el caldo y ⅔ de taza del vino. Tape la cazuela y métala en el horno precalentado. Cueza el arroz 30 minutos, hasta que esté tierno.

3   Para hacer el aderezo, maje las semillas de alcaravea con el rodillo y mézclelas con el resto de los ingredientes en un cuenco. Tuéstelo a fuego medio en una sartén pequeña, sin dejar de remover, 2 o 3 minutos. Déjelo enfriar en un plato.

4   Triture una cuarta parte de las remolachas en el robot de cocina hasta obtener un puré homogéneo. Pique bien las restantes. Incorpore la remolacha triturada y picada al risoto junto con el resto del vino y salpimiente. Para servir, reparta el risoto entre 6 platos y esparza el aderezo por encima.

20

PUERROS

Del género Allium como el ajo y la cebolla, el puerro contiene una serie de nutrientes beneficiosos para la piel, los huesos y el corazón.

Calorías	61
Grasas	0,3 g
Proteínas	1,5 g
Hidratos de carbono	2,9 g
Fibra	1,8 g
Vitamina C	12 mg
Vitamina B6	0,23 mg
Vitamina K	47 mcg
Ácido fólico	64 mcg
Calcio	59 mcg
Magnesio	28 mg

El puerro tiene un característico sabor algo dulce a cebolla, aunque más suave. Los tallos largos y gruesos son blancos por la parte inferior y verdes por la superior. La parte verde es comestible, aunque suele eliminarse porque suele ser dura. Según los estudios el puerro reduce el colesterol malo y aumenta el bueno, además de prevenir cardiopatías y arteriosclerosis. El consumo habitual también se relaciona con una menor incidencia de cáncer de próstata, ovarios y colon. Las propiedades anticancerígenas se atribuyen al sulfuro de alilo de la planta, pero también contiene vitamina C, fibra, vitamina E, ácido fólico y varios minerales importantes.

- Reducen el colesterol malo y aumentan el bueno.
- Acción suavemente diurética para prevenir la retención de líquidos.
- Ricos en carotenos, incluidas luteína y zeaxantina, para conservar la vista.

Consejos prácticos:

Lave bien los puerros para retirar los restos de tierra que suele haber entre las hojas apretadas. Cuanto más aproveche la parte verde, más nutrientes conservará. Cuézalos al vapor o saltéelos en lugar de hervirlos para que conserven mejor las vitaminas. Como la parte más oscura del puerro tarda más en cocerse, píquela y échala en la cazuela antes que la blanca.

CREMA FRÍA DE PUERRO Y PATATA

PARA 4-6 PERSONAS

2 cucharadas de mantequilla

1 cebolla picada

3 puerros (poros) en rodajas

225 g/8 oz de patatas (papas) grandes peladas y en dados de 2 cm/¾ in

840 ml/3½ tazas de caldo de verduras

sal y pimienta, al gusto

120 ml/½ taza de nata (crema) líquida (opcional) y 2 cucharadas de cebollino (cebollín) picado, para adornar

PREPARACIÓN

1   Derrita la mantequilla a fuego medio en una cazuela y rehogue las hortalizas hasta que estén tiernas, pero sin que lleguen a dorarse. Vierta el caldo, llévelo todo a ebullición, baje el fuego y cuézalo, tapado, 15 minutos.

2   Retírelo del fuego y triture la crema en la misma cazuela con la batidora de brazo. También puede hacerlo en la batidora de pedestal, devolviéndola después a la cazuela enjuagada.

3   Caliente bien la crema, salpimiéntela al gusto y sírvala en boles precalentados, adornada con un remolino de nata, si lo desea, y el cebollino picado.

PUERROS ASADOS CON PEREJIL

PARA 4 PERSONAS

4 puerros (poros) grandes limpios partidos por la mitad a lo largo

3 cucharadas de aceite de oliva virgen extra

sal y pimienta, al gusto

1 cucharada de perejil picado

PREPARACIÓN

1. Precaliente el horno a 245 °C (475 °F). Coloque los puerros en una sola capa en una cazuela llana.

2. Píntelos con el aceite de oliva de modo que se meta por las hendiduras. Salpimiente, esparza el perejil por encima y deles la vuelta para que se impregnen bien.

3. Áselos en el horno de 15 a 20 minutos, o hasta que empiecen a ennegrecerse por los bordes. Sírvalos enseguida.

CREPES DE PUERRO Y JAMÓN

PARA 2 PERSONAS

4 crepes saladas

4 lonchas (lonjas) finas
de jamón cocido ahumado
a la miel

25 g ¼ de/taza de gruyer
rallado

RELLENO

2 cucharadas de mantequilla

1 cucharada de aceite
de oliva

3 puerros (poros) lavados,
partidos por la mitad
y en tiras

3 chalotes (echalotes) picados

1 cucharadita de salvia fresca
picada

2 cucharadas de vino blanco
o agua

2 cucharadas de nata (crema)
extragrasa

sal y pimienta, al gusto

PREPARACIÓN

1. Para preparar el relleno, caliente la mantequilla y el aceite en una cazuela. Agregue el puerro, el chalote y la salvia, y salpimiente. Cuézalo tapado a fuego lento 5 minutos. Vierta el vino y prosiga con la cocción 5 minutos más, hasta que los puerros estén tiernos. Incorpore la nata y aparte la cazuela del fuego.

2. Precaliente el horno a 200 °C (400 °F). Ponga las crepes en la encimera y coloque 1 loncha de jamón encima de cada una. Reparta la mezcla de puerros entre las crepes y enróllelas.

3. Páselas a una fuente y esparza el queso rayado por encima. Cuézalas en el horno precalentado entre 15 y 20 minutos, o hasta que se doren y borboteen. Sírvalas enseguida en platos.

21

CALABAZA

La calabaza contiene alfacaroteno, betacaroteno y luteína, potentes nutrientes antienvejecimiento de color naranja que protegen la piel de los rayos solares.

Los carotenoides liposolubles de la calabaza protegen las partes adiposas de la piel, el corazón, los ojos, el cerebro y el hígado. Como la naturaleza es sabia, la calabaza es una hortaliza de invierno que protege el organismo cuando más lo necesita: cuando hace frío comemos más grasas y las acumulamos a modo de aislante. Las pipas de calabaza son muy ricas en nutrientes, mientras que la pulpa naranja contiene ácido málico —también presente en manzanas y ciruelas— para renovar las células del organismo. En combinación con la acción protectora de los carotenoides, el ácido málico mantiene la piel tersa, los huesos fuertes y los órganos vitales sanos.

- Contiene fitoesteroles, que protegen el sistema inmunológico y regulan el colesterol.
- Contiene vitamina B12, que estimula la producción de ácido fólico, y vitamina B6, que procesa las grasas y las proteínas de los alimentos para reparar y rejuvenecer los tejidos del cuerpo y las membranas mucosas.

Consejos prácticos:

La calabaza puede hervirse, cocerse al vapor o asarse, y va bien tanto para platos dulces como salados. Para no enmascarar su delicado sabor, es mejor endulzarla con moderación. Para preparar un aperitivo saludable, tueste las pipas de calabaza en el horno.

VALOR NUTRICIONAL DE 100 G/1 TAZA DE CALABAZA

Calorías	13
Grasas	0,1 g
Proteínas	1 g
Hidratos de carbono	6,5 g
Fibra	0,5 g
Vitamina C	9 mg
Vitamina E	1,06 mg
Vitamina B2	0,11 mg
Vitamina B6	0,06 mg
Ácido fólico	16 mcg
Betacaroteno	3100 mcg
Luteína/Zeaxantina	1500 mcg
Fitoesteroles	12 mg

¿SABÍA QUE...?

El término *pumpkin* («calabaza» en inglés) deriva del griego *peponi*, que significa «melón grande». Los franceses la llaman *pompon* y, antes de adoptar el vocablo norteamericano *pumpkin*, los británicos se referían a ella como *pumpion*.

RAVIOLIS DE CALABAZA

PARA 4 PERSONAS

láminas de pasta fresca
compradas

sémola, para espolvorear

RELLENO

1 cucharada de aceite
de oliva

400 g/4 tazas de calabaza
(zapallo anco) en trozos
medianos

1 chalote (echalote)
en daditos

120 ml/½ taza de agua,
y un poco más para pintar

60 g/⅔ de taza de parmesano
rallado y 1 huevo

1 cucharada de perejil picado

sal y pimienta, al gusto

PREPARACIÓN

1. Para preparar el relleno, caliente el aceite en una cazuela y rehogue 2 o 3 minutos la calabaza y el chalote, o hasta que este esté translúcido. Añada el agua y cueza la calabaza de 15 a 20 minutos hasta que se evapore el líquido. Déjelo enfriar un poco y mézclelo con el parmesano, el huevo y el perejil. Salpimiente.

2. Espolvoree la encimera con sémola. Corte cada lámina de pasta por la mitad. Disponga cucharaditas del relleno de calabaza en una de las mitades de lámina, dejando 3,8 cm (1½ in) entre los montoncitos. Pinte los espacios vacíos con un poco de agua. Extienda por encima del relleno la otra mitad de la lámina y presione alrededor de cada montoncito.

3. Con un cortapastas, corte las porciones en cuadrados y presione los bordes con un tenedor. Lleve agua con sal a ebullición en una olla. Eche los raviolis y, cuando el agua rompa de nuevo el hervor, prosiga con la cocción hasta que estén al dente, 3 o 4 minutos. Escúrralos y sírvalos enseguida.

TARTALETAS DE CALABAZA CON ESPECIAS

PARA 4 PERSONAS

300 g/3 tazas de calabaza (zapallo anco) en daditos

1½ cucharaditas de mantequilla derretida, y un poco más para engrasar

1 cucharada de jarabe de arce

1 trozo de jengibre en almíbar picado

¼ de cucharadita de canela molida

¼ de cucharadita de pimienta inglesa molida

8 láminas de pasta filo

2 cucharadas de aceite vegetal

azúcar glas (impalpable), para espolvorear

PREPARACIÓN

1 Precaliente el horno a 190 °C (375 °F). Engrase un poco 4 moldes desmontables de 10 cm (4 in) de diámetro.

2 Extienda la calabaza en la bandeja del horno y reparta la mantequilla por encima. Ásela en el horno precalentado 5 minutos, remuévala y devuélvala al horno 20 minutos más, o hasta que empiece a dorarse. Incorpore el jarabe de arce, el jengibre, la canela y la pimienta inglesa, y prosiga con la cocción otros 5 minutos. Déjela enfriar.

3 Corte la pasta filo en 12 cuadrados de 10 cm (4 in). Pinte 4 de ellos con aceite vegetal. Coloque otro cuadrado encima de cada uno al bies, de modo que los extremos de los cuadrados no queden alineados para formar una estrella. Pinte otra vez la pasta con aceite y añada una tercera porción de pasta filo. Repita la operación hasta obtener 4 pilas de 3 capas cada una. Pase la pasta a los moldes, presiónela con cuidado y cuézala en el horno de 8 a 10 minutos, o hasta que esté crujiente y dorada.

4 Rellene las tartaletas con la calabaza asada. Espolvoréelas con azúcar glas y sírvalas enseguida.

ESPAGUETIS CON CALABAZA Y TOMATE

PARA 4 PERSONAS

300 g/3 tazas de calabaza (zapallo anco) en daditos

2 cebollas rojas cortadas en cuñas

1 cucharada de aceite de oliva

15 tomates (jitomates) secados al sol en aceite

340 g/12 oz de espaguetis

sal y pimienta, al gusto

hojas de albahaca, para adornar

PREPARACIÓN

1 Precaliente el horno a 180 °C (350 °F).

2 Mezcle la calabaza y la cebolla con el aceite para que se impregnen bien. Extiéndalas en una fuente refractaria y áselas en el horno precalentado de 25 a 30 minutos, o hasta que estén tiernas. Déjelas enfriar 5 minutos.

3 Corte los tomates en trocitos y mézclelos con las hortalizas asadas. Salpimiente.

4 Lleve agua con un poco de sal a ebullición en una olla. Eche la pasta y cuézala de 8 a 10 minutos, o hasta que esté al dente.

5 Escurra bien los espaguetis y repártalos entre 4 platos precalentados. Añada las hortalizas y adórnelo con hojas de albahaca. Sírvalo enseguida.

CARNE, PESCADO Y MARISCO

22

PAVO

El pavo, rico en proteínas y bajo en grasas, es una buena alternativa al pollo, se prepara en un santiamén y ofrece muchas posibilidades.

VALOR NUTRICIONAL DE 100 G/3½ OZ DE PAVO, SIN LA PIEL

Calorías	111
Grasas	0,65 g
Grasas saturadas	0,21 g
Grasas monoinsaturadas	0,11 g
Proteínas	24,6 g
Hidratos de carbono	0 mg
Fibra	0 mg
Vitamina B3	6,23 mg
Vitamina B5	0,72 mg
Vitamina B6	0,58 mg
Hierro	1,17 mg
Cinc	1,24 mg
Ácido glutámico	4,02 g

El pavo contiene grandes cantidades de triptófano,un aminoácido esencial que controla tanto el estado de ánimo como la conducta del sueño, además de serotonina, un neurotransmisor que también afecta al estado de ánimo y al apetito. Como es rico en proteínas mantiene a raya el apetito al equilibrar la concentración de glucosa en sangre, por lo que controla el deseo de comer dulces e impide los bajones de energía. La parte blanca de la carne se considera más saludable que la oscura porque es menos grasa, pero la diferencia es mínima. De hecho, la oscura activa más el metabolismo para que queme energía, lo que favorece la pérdida de peso y controla las ganas de comer.

• El hierro mantiene la vitalidad al fabricar las células que el organismo convierte en energía y al ayudar a los músculos a almacenar oxígeno.
• El ácido glutámico regula la glucosa en sangre.
• Contiene el cinc necesario para fabricar serotonina, la hormona del bienestar. También es imprescindible para reparar el organismo.

Consejos prácticos:

El pavo es una alternativa baja en grasa al pollo, con muchos nutrientes parecidos. Los animales de corral, que comen más sano y viven al aire libre, son más magros y gustosos, además de perder menos agua durante la cocción. El pavo se prepara y se cocina del mismo modo que el pollo.

PAN DE PITA CON ENSALADA DE PAVO

PARA 1 PERSONA

1 manojito de espinacas tiernas enjuagadas, secadas y en juliana

½ pimiento (ají, morrón) rojo, limpio y en tiras finas

½ zanahoria pelada y rallada

55 g/¼ de taza de hummus

80 g/⅔ de taza de pavo cocido, sin el hueso ni la piel, en lonchas (lonjas) finas

½ cucharada de pipas (semillas) de girasol

1 pan de pita integral

sal y pimienta, al gusto

PREPARACIÓN

1 Precaliente el gratinador a temperatura media-fuerte.

2 Mezcle las espinacas con el pimiento, la zanahoria y el hummus en un bol grande de modo que todos los ingredientes queden impregnados de hummus. Incorpore el pavo y las pipas de girasol y salpimiente.

3 Caliente el pan de pita bajo el gratinador alrededor de 1 minuto por cada lado, sin dejar que se dore. Pártalo por la mitad para poder rellenarlo.

4 Reparta la ensalada entre los panes y sirva los bocadillos.

HAMBURGUESAS DE PAVO

PARA 4 UNIDADES

340 g/12 oz de pavo recién picado

20 g/¼ de taza de pan integral recién rallado

1 cebolla pequeña picada

1 manzana pelada, sin el corazón y rallada

la ralladura y el zumo (jugo) de 1 limón pequeño

2 cucharadas de perejil picado

aceite de girasol, para pintar

sal y pimienta, al gusto

4 panecillos integrales o trozos de focaccia partidos por la mitad

PREPARACIÓN

1 Precaliente el gratinador a temperatura media-alta y forre la bandeja con papel de aluminio. Ponga en un bol grande el pavo, el pan rallado, la cebolla, la manzana, la ralladura y el zumo de limón y el perejil. Salpimiente y mézclelo con suavidad. Divídalo en 4 porciones iguales y deles forma de hamburguesa.

2 Pinte las hamburguesas con aceite y póngalas en la plancha. Áselas, dándoles la vuelta una vez, 5 minutos o hasta que estén bien hechas. Para comprobar la cocción, pínchelas con la punta de un cuchillo afilado; si sale un líquido claro significa que están listas. Si, por el contrario, sale un líquido rosado, gratínelas un par de minutos más.

3 Ponga 1 hamburguesa en cada base de los panecillos, tápelas con la otra mitad y sírvalas enseguida.

FILETES DE PAVO CON SALSA DE ESTRAGÓN

PARA 4 PERSONAS

1 cucharada de harina

4 chuletas de pavo

1 cucharada de aceite de oliva

2 cucharadas de mantequilla

2 chalotes (echalotes) picados

160 ml/²⁄₃ de taza de vino blanco seco

la ralladura y el zumo (jugo) de ½ limón

2 cucharadas de estragón picado

60 ml/¼ de taza de nata (crema) extragrasa

sal y pimienta, al gusto

PREPARACIÓN

1 Extienda la harina en un plato y salpimiéntela. Reboce bien los filetes por ambos lados.

2 Caliente el aceite y la mitad de la mantequilla en una sartén y fría los filetes a fuego medio, dándoles la vuelta una vez, de 8 a 10 minutos hasta que se doren y estén bien hechos. Retírelos de la sartén y resérvelos calientes.

3 Ponga la mantequilla restante en la sartén y saltee el chalote, removiéndolo, 3 o 4 minutos hasta que se ablande. Agregue el vino, la ralladura y el zumo de limón y la mitad del estragón. Llévelo a ebullición y hiérvalo 2 o 3 minutos hasta que se reduzca a la mitad.

4 Cuele la salsa en una cazuela limpia, añada la nata y el estragón restante y caliéntelo, removiendo, hasta que hierva. Rectifique la sazón, vierta la salsa sobre los filetes y sírvalos.

23

POLLO

Una sola ración de pollo criado en libertad rico en proteínas aporta dos tercios de los nutrientes necesarios para regenerar la piel, los huesos y los músculos.

Un 22 % del cuerpo humano es proteína, y algo menos de la mitad de esta, músculo. Los músculos necesitan regenerarse continuamente, sobre todo después de hacer ejercicio, para que el cuerpo mantenga la movilidad y la postura. El estrés recurre a las proteínas del organismo para fabricar adrenalina, pero los alimentos ricos en proteínas como el pollo las pueden sustituir de modo que el cuerpo las absorba con facilidad.
Si el pollo se ha criado al aire libre y se ha alimentado de forma natural también aporta vitaminas del grupo B que mantienen la vitalidad y la función intelectual.

- Las proteínas forman colágeno, necesario a diario para rejuvenecer la piel, el pelo, las uñas y los órganos internos.
- Contiene ácido hialurónico, que hidrata el colágeno y este, a su vez, el organismo.
- Contiene ácido glutámico, la proteína principal del músculo humano, garantía de fuerza y facilidad de regeneración.
- El selenio es un mineral de acción antioxidante que neutraliza metales tóxicos como el mercurio, el plomo y el aluminio.

Consejos prácticos:
Tenga en cuenta que los pollos de granja no trabajan suficiente los músculos para desarrollarlos como fuente de proteínas y suelen tener más grasa que los que se han criado al aire libre. Aunque resulta algo más caro, vale la pena consumir animales criados y alimentados en un entorno ecológico.

VALOR NUTRICIONAL DE 100 G/3½ OZ DE POLLO, SIN LA PIEL

Calorías	114
Grasas	2,59 g
Grasas saturadas	0,57 g
Grasas monoinsaturadas	0,76 g
Proteínas	21,23 g
Hidratos de carbono	0 mg
Fibra	0 mg
Vitamina B3	10,43 mg
Vitamina B5	1,43 mcg
Vitamina B6	0,75 mg
Selenio	32 mcg
Ácido glutámico	3,15 g

POLLO A LA TAILANDESA

PARA 4 PERSONAS

6 dientes de ajo troceados

1 cucharadita de pimienta

8 muslos y contramuslos
de pollo

1 cucharada de salsa de
pescado tailandesa

60 ml/¼ de taza de salsa
de soja oscura

jengibre cortado en tiras
finas, para adornar

PREPARACIÓN

1   Ponga el ajo en el mortero. Añada la pimienta y májelo todo
hasta obtener una pasta. Con un cuchillo afilado, haga tres o
cuatro cortes oblicuos en ambos lados de cada trozo de pollo.
Embadurne el pollo con la pasta de ajo y colóquelo en un
plato. Eche la salsa de pescado y la de soja y dele la vuelta
al pollo para que quede bien impregnado. Cúbralo con film
transparente y déjelo adobar en el frigorífico unas 2 horas.

2   Precaliente el gratinador a temperatura media-fuerte. Escurra
el pollo, reservando el adobo. Páselo a la rejilla del gratinador
y áselo, dándole la vuelta y rociándolo frecuentemente con el
adobo reservado, de 20 a 25 minutos o hasta que salga un jugo
transparente al pincharlo en la parte más carnosa con la punta
de un cuchillo afilado. Si inserta un termómetro para carne en
la parte más gruesa, pero sin tocar el hueso, debería estar a
75 °C (170 °F). Adórnelo con jengibre y sírvalo.

FAJITAS DE POLLO

PARA 4 PERSONAS

3 cucharadas de aceite
de oliva, y un poco más
para rociar

3 cucharadas de jarabe
de arce o miel

1 cucharada de vinagre
de vino tinto

2 dientes de ajo majados

2 cucharaditas de orégano

1-2 cucharaditas de
pimienta roja majada

4 pechugas de pollo sin el
hueso ni la piel

2 pimientos (ajís,
morrones) rojos sin las
pepitas (semillas) y en
tiras

8 tortillas de harina
calentadas

sal y pimienta, al gusto

PREPARACIÓN

1   Mezcle en un bol el aceite con el jarabe de arce, el vinagre,
el ajo, el orégano y la pimienta, y salpimiente.

2   Corte el pollo en la dirección de la fibra en filetes de 2,5 cm
(1 in) de grosor. Ponga los filetes en el adobo y deles algunas
vueltas para que se impregnen bien. Tápelos y refrigérelos
2 o 3 horas, dándoles la vuelta de vez en cuando.

3   Caliente bien una plancha o una sartén. Retire el pollo del
adobo con una espumadera y áselo a fuego medio-fuerte
3 o 4 minutos por cada lado, o hasta que esté hecho por
dentro. Resérvelo caliente en una fuente precalentada.
Ase los pimientos en la misma plancha, con la piel hacia abajo,
unos 2 minutos por cada lado. Páselos a la fuente con el pollo.
Sírvalo enseguida con las tortillas calientes.

SOPA DE POLLO CON FIDEOS

PARA 4-6 PERSONAS

2 pechugas de pollo sin el
hueso ni la piel

1,2 litros/5 tazas de agua o de
caldo de pollo

3 zanahorias peladas
y en rodajas finas

85 g/3 oz de fideos finos de
arroz (u otra pasta fina)

sal y pimienta, al gusto

hojas de estragón,
para adornar

PREPARACIÓN

1 Ponga las pechugas en una cazuela grande, vierta el agua
o el caldo y llévelo a ebullición a fuego lento. Cuézalas entre
25 y 30 minutos, espumando el caldo si fuera necesario.
Retire el pollo y resérvelo caliente.

2 Prosiga con la cocción, agregue la zanahoria y los fideos y
cuézalos 4 o 5 minutos o hasta que la zanahoria esté tierna.

3 Corte las pechugas en tiras finas y repártalas entre los boles
individuales precalentados.

4 Salpimiente la sopa y viértala sobre el pollo. Adórnela con
hojas de estragón.

24

BUEY ECOLÓGICO

El buey de producción ecológica que se alimenta en pastos aporta grasas esenciales que suelen faltar en la dieta y que protegen la piel, los huesos y el corazón.

VALOR NUTRICIONAL DE 100 G/3½ OZ DE BUEY, CON LA GRASA

Calorías	192
Grasas	12,73 g
Proteínas	5,34 g
Hidratos de carbono	19,42 g
Fibra	0 g
Vitamina B3	4,82 mg
Vitamina B5	0,58 mg
Vitamina B6	0,36 mg
Vitamina 12	1,97 mg
Vitamina E	930 mg
Hierro	1,99 mg
Cinc	4,55 mg
Selenio	14,2 mcg

El ganado que se cría en libertad suele moverse más, por lo que su carne es más magra: una ración de 85 g (3 oz) contiene un 6 % menos de grasa que el de granja alimentado con pienso. Esto no solo es importante para mantener la línea, sino sobre todo porque su grasa es de mayor calidad. Contiene altos niveles de ácidos grasos omega-3, que mantienen jóvenes las articulaciones, el cerebro y la piel. Otro tipo de grasa, el ácido linoleico conjugado (CLA por sus siglas en inglés), se obtiene directamente de la hierba y permite quemar la grasa en forma de energía, lo que acelera el metabolismo y evita ganar kilos de más. Los bajos niveles de CLA de nuestra dieta están relacionados en parte con el aumento de obesidad.

- Contiene cuatro veces más vitamina E que el buey alimentado con pienso.
- El selenio alivia la ansiedad, la depresión y la fatiga, y su carencia se asocia a la degeneración del corazón y los huesos.
- Es la carne más rica en cinc, que mantiene la tez resplandeciente y las uñas fuertes.
- La coenzima Q-10 alimenta las células del organismo, sobre todo las del corazón.

Consejos prácticos:
Déjese aconsejar por su carnicero de confianza para comprar carne de buey de buena calidad. El lomo, el solomillo y la falda son los cortes más sanos y magros. Al tratarse de un alimento consistente muy nutritivo basta con comerlo de 2 a 4 veces al mes para beneficiarse de sus propiedades.

SALTEADO PICANTE DE BUEY

PARA 4 PERSONAS

1 cucharadita de aceite
de oliva

140 g/5 oz de lomo de buey
(vaca) con la grasa

1 pimiento (ají) naranja sin las
semillas y en tiras finas

4 cebolletas (cebollas
tiernas), 1-2 jalapeños
frescos sin las semillas y
2-3 dientes de ajo, picados

225 g/1½ tazas de tirabeques
(bisaltos) despuntados

115 g/4 oz de champiñones
Portobello grandes

1 cucharadita de salsa hoisin

1 cucharada de zumo
(jugo) de naranja recién
exprimido

150 g/5 tazas de rúcula

PREPARACIÓN

1   Caliente un wok o una sartén a fuego fuerte. Vierta el aceite y
caliéntelo 30 segundos. Saltee la carne, cortada en tiras finas,
1 minuto, o hasta que se dore. Retírela con una espumadera y
resérvela.

2   En el wok, saltee 2 minutos el pimiento con la cebolleta, los
jalapeños y el ajo. Añada los tirabeques, partidos por la mitad
al bies, y los champiñones en láminas, y saltéelo todo 2 minutos
más.

3   Devuelva la carne al wok y vierta la salsa hoisin y el zumo de
naranja. Siga salteando 2 o 3 minutos, o hasta que la carne esté
tierna y las hortalizas, cocidas pero enteras. Incorpore la rúcula
y saltéela hasta que empiece a perder tersura. Reparta el
salteado entre 4 boles precalentados y sírvalo enseguida.

CHULETONES DE BUEY AL BOURBON

PARA 4 PERSONAS

4 chuletones de buey
(vaca) sin hueso de
340 g/12 oz
2 cucharadas de aceite
de oliva
25 g/2 cucharadas de
mantequilla

ADOBO

2 cucharadas de aceite de
oliva virgen extra
240 ml/1 taza de bourbon
de buena calidad
1 manojito de tomillo con
las hojas separadas
1 cucharadita de orégano
2 dientes de ajo majados
1 cucharadita de sal
1 cucharadita de pimienta

PREPARACIÓN

1   Ponga los ingredientes del adobo en una fuente llana que no sea metálica lo suficientemente grande como para que quepan los chuletones en una sola capa. Mezcle bien todos los ingredientes.

2   Disponga la carne en el adobo, dándole la vuelta varias veces para que se impregne bien. Cúbralo y déjelo en el frigorífico 4 horas como mínimo o hasta 12 horas si el tiempo lo permite, dándole la vuelva una vez.

3   Saque los chuletones del frigorífico para que estén a temperatura ambiente antes de asarlos. Reserve el adobo.

4   Caliente una sartén grande a fuego fuerte y eche el aceite y la mantequilla. Ase los chuletones 5 minutos por cada lado para que estén medio hechos, o hasta que alcancen el punto deseado. Áselos por tandas, si fuera necesario. Déjelos reposar 5 minutos antes de servirlos.

5   Mientras tanto, baje un poco el fuego, eche el adobo reservado en la sartén y flambéelo para hacer la salsa. Sirva los chuletones rociados con la salsa.

PICADILLO PICANTE DE CARNE

PARA 6 PERSONAS

2 cucharadas de aceite de oliva

1 cebolla picada

1 pimiento (ají, morrón) rojo en dados

3 dientes de ajo picados

450 g/1 libra de carne de buey (vaca) picada

2 cucharadas de guindilla (ají picante, chile) molida

½ cucharadita de cayena molida

410 g/14½ oz de tomate (jitomate) troceado en conserva

420 ml/1¾ tazas de agua

2 cucharadas de perejil picado

sal y pimienta, al gusto

PREPARACIÓN

1   Caliente 1 cucharada del aceite a fuego medio en una cazuela grande de base gruesa. Saltee la cebolla, el pimiento y el ajo unos 5 minutos, removiendo, hasta que estén tiernos. Retire las hortalizas con una espátula y resérvelas. Vierta el aceite restante en la cazuela.

2   Cuando esté caliente, añada el buey picado, la guindilla y la cayena, y salpimiente. Remuévalo bien y saltee la carne unos 10 minutos, removiendo a menudo y deshaciendo los grumos con una cuchara de madera, hasta que se dore.

3   Agregue las hortalizas reservadas, el tomate con su jugo y el agua. Llévelo a ebullición, baje el fuego y cuézalo unos 45 minutos, removiendo de vez en cuando, hasta que la salsa se espese. Salpimiente e incorpore el perejil.

4   Sírvalo enseguida o déjelo enfriar, tápelo, refrigérelo y consúmalo en el plazo de 4 días.

25

VENADO

La carne de venado es similar a la de vacuno, solo que más magra. Aporta proteínas consistentes pero no la grasa saturada perjudicial para el corazón.

VALOR NUTRICIONAL DE 100 G/3½ OZ DE VENADO

Calorías	157
Grasas	7,13 g
Grasas saturadas	3,36 g
Proteínas	21,78 g
Hidratos de carbono	0 mg
Fibra	0 mg
Vitamina B2	0,55 mg
Vitamina B3	0,69 mg
Vitamina B5	0,75 mg
Vitamina B6	32 mcg
Vitamina B12	3,15 g
Hierro	2,92 g
Cinc	4,2 mg
Selenio	10 mg

Esta fuente de proteínas reúne varias vitaminas del grupo B que mantienen el cuerpo joven y sano. Contiene taurina y cistina, dos aminoácidos ricos en azufre que ayudan al hígado a depurar las toxinas del organismo como parte del proceso metabólico. Si dichas toxinas se dejan circular, el cuerpo se cansa, enferma y es incapaz de curarse y renovarse. La taurina y la cistina también mantienen los minerales esenciales en el organismo, tonifican la sangre, previenen cardiopatías y mejoran la circulación para mantener la piel sana y luminosa.

- Las vitaminas B12 y B6 limpian el cerebro y el corazón de homocisteína, una sustancia que puede provocar demencia y cardiopatías.
- La vitamina B3 favorece la movilidad de las articulaciones y previene la osteoporosis.
- Contiene cinc, que revitaliza la piel y mantiene limpios los poros.
- En combinación, el cinc y el selenio fabrican enzimas depurativas que rejuvenecen las células de todo el organismo.
- El hierro impulsa el oxígeno por todo el cuerpo para que pueda regenerarse.

Consejos prácticos:

Pregúntele a su carnicero cuál es la mejor época para comprar carne de venado. Si es de animales salvajes será más sana porque no tendrá hormonas. Congele la carne un par de horas como mínimo antes de cocinarla para matar los posibles parásitos o las tenias. Ase los filetes de venado a la plancha y prepare los cortes menos tiernos estofados con tubérculos, hortalizas y especias.

VENADO A LA PARRILLA

PARA 4 PERSONAS

4 filetes de venado

ramitas de tomillo fresco,
para adornar

ADOBO

160 ml/²/₃ de taza de vino tinto

2 cucharadas de aceite de
oliva y 1 de vinagre de vino
tinto

1 cebolla picada

1 cucharada de perejil y 1 de
tomillo fresco, picados

1 hoja de laurel

1 cucharadita de miel
de buena calidad

½ cucharadita de mostaza
suave

sal y pimienta

PREPARACIÓN

1   Disponga los filetes en una fuente llana que no sea metálica.

2   Para preparar el adobo, bata en un bol el vino con el aceite,
el vinagre, la cebolla, el perejil, el tomillo, el laurel, la miel,
la mostaza, sal y pimienta.

3   Rocíe los filetes con el adobo, tápelos y déjelos macerar toda
la noche en el frigorífico. Deles la vuelta de vez en cuando para
que se impregnen bien.

4   Precaliente el gratinador al máximo. Ase los filetes 2 minutos
por cada lado para sellarlos.

5   Baje el gratinador a temperatura media y ase la carne de 4 a
10 minutos más por cada lado, según el punto deseado. Pruebe
la carne insertando la punta de un cuchillo: el jugo saldrá
rosado si está medio hecha o claro si está bien asada.

6   Reparta los filetes entre 4 platos, adórnelos con ramitas de
tomillo fresco y sírvalos enseguida.

ESTOFADO DE VENADO

PARA 6 PERSONAS

3 cucharadas de aceite
de oliva y 2 de harina

900 g/2 libras de venado
para guisar

2 cebollas en rodajitas

2 dientes de ajo picados

360 ml/1½ tazas de caldo
de buey (vaca) o de
verduras

120 ml/½ taza de oporto o
vino tinto

2 cucharadas de jalea
de grosellas

6 enebrinas algo majadas,
4 clavos majados y
1 pizca de canela

un poco de nuez moscada
rallada

sal y pimienta, al gusto

puré de patatas (papas),
para acompañar

PREPARACIÓN

1   Precaliente el horno a 180 °C (350 °F.) Caliente el aceite en una
cazuela grande apta para el horno y rehogue el venado cortado
en dados medianos a fuego fuerte, removiendo a menudo, unos
5 minutos o hasta que se dore uniformemente y quede sellado.
Páselo a una fuente con una espumadera.

2   Sofría la cebolla y el ajo en la cazuela a fuego medio, removiendo,
durante 5 minutos o hasta que se ablanden. Resérvelos en la
fuente con la carne.

3   Vierta poco a poco el caldo para desglasar el jugo de la cocción
y llévelo a ebullición, removiéndolo.

4   Espolvoree la harina sobre la carne, la cebolla y el ajo de
la fuente, y remuévalo para que queden bien rebozados.
Devuélvalos a la cazuela, remueva y compruebe que el caldo
cubre la carne. Incorpore el oporto, la jalea y las especias.

5   Salpimiente bien, tape la cazuela y cuézalo en el centro del horno
precalentado entre 2 y 2½ horas.

6   Rectifique la sazón si fuera necesario y sírvalo con puré
de patatas.

EMPANADILLA DE VENADO

PARA 4-6 PERSONAS

30 g/4 cucharadas de harina

1 cucharadita de tomillo

900 g/2 libras de venado para estofar en dados medianos

115 g/1 barra de mantequilla

2 cebollas en rodajitas

2 zanahorias en rodajitas

140 g/5 oz de champiñones en láminas

540 ml/2¼ tazas de caldo de buey (vaca)

420 ml/1¾ tazas de cerveza oscura

425 g/15 oz de masa de hojaldre comprada

1 huevo batido

sal y pimienta, al gusto

PREPARACIÓN

1 Mezcle la harina con el tomillo, reboce la carne y salpimiéntela generosamente. Derrita la la mantequilla en una sartén grande y fría la carne a fuego medio, removiendo de vez en cuando, 10 minutos o hasta que se dore. Añada la cebolla, la zanahoria y los champiñones, vierta el caldo y la cerveza y llévelo a ebullición.

2 A continuación, baje la temperatura, tápelo y cuézalo a fuego suave de 1½ a 2 horas, removiendo de vez en cuando. Páselo a una fuente redonda grande y deje que se enfríe.

3 Precaliente el horno a 200 °C (400 °F).

4 Extienda la masa en la encimera enharinada hasta que sea 2,5 cm (1 in) más grande que la fuente. Recorte una tira de 1,25 cm (½ in) de todo el contorno. Pinte el borde de la fuente con agua y pegue la tira. Píntela con agua y coloque la masa restante encima. Recorte la masa sobrante y pellizque los bordes para sellarlo. Haga una pequeña incisión en el centro y píntela con huevo batido. Adorne la empanadilla con los recortes de masa y píntela toda con huevo. Cuézala en el horno de 35 a 40 minutos, hasta que esté bien dorada. Sírvala enseguida.

26

SALMÓN

El salmón es una fuente excelente de ácidos grasos omega-3, selenio para prevenir el cáncer y vitamina B12 para proteger el corazón y un tipo de anemia.

VALOR NUTRICIONAL DE 100 G/3½ OZ DE SALMÓN

Calorías	183
Grasas	10,8 g
Proteínas	19,9 g
EPA	0,618 g
DHA	1293 g
Niacina	7,5 mg
Vitamina B6	0.64 mcg
Vitamina B12	2573 mcg
Ácido fólico	123 mcg
Vitamina E	1,9 mg
Vitamina C	3,9 mg
Potasio	362 mcg
Selenio	36,5 mcg
Magnesio	28 mg
Cinc	0,4 mg

El salmón que consumimos hoy en día a menudo es de piscifactoría. Aunque el salvaje suele ser menos graso y registrar niveles algo superiores de algunos nutrientes, ambos son bastante similares. El salmón es una fuente importante de aceites de pescado, que previenen cardiopatías, la formación de coágulos, apoplejías, hipertensión, colesterolemia, alzhéimer, depresión y algunas afecciones cutáneas. Además, es una fuente excelente de selenio, que previene el cáncer, así como de proteínas, niacina, vitamina B12, magnesio y vitamina B6.

- Previene cardiopatías y apoplejías.
- Mantiene sano el cerebro y mejora la resistencia a la insulina.
- Contiene altos niveles de ácido docosahexaenoico (DHA de sus siglas en inglés) y ácido eicosapentaenoico (EPA, también de sus siglas en inglés), esenciales para el cerebro y la vista.
- Mitiga el dolor articular y podría prevenir el cáncer.

Consejos prácticos:

Si es posible, compre salmón salvaje. El de piscifactoría, aunque contiene los mismos nutrientes, tiene el doble de grasa. Para beneficiarse de los ácidos grasos omega-3, cueza el salmón brevemente, ya sea escalfado o a la plancha. La cocción excesiva podría oxidar los ácidos grasos, que perderían sus propiedades. El salmón congelado conserva las grasas saludables, las vitaminas y los minerales, pero el enlatado pierde parte de estos nutrientes.

SALMÓN ASADO CON SALSA DE CÍTRICOS

PARA 4 PERSONAS

4 filetes de salmón

1 cucharada de aceite de oliva

1 cucharada de salsa de soja clara

sal y pimienta, al gusto

SALSA DE CÍTRICOS

1 naranja grande

1 lima (limón)

2 tomates (jitomates) pelados y en dados

2 cucharadas de aceite de oliva virgen extra

2 cucharadas de cilantro picado

¼ de cucharadita de azúcar

PREPARACIÓN

1   Precaliente el gratinador al máximo. Para preparar la salsa, pele la naranja y la lima retirando bien toda la parte blanca y separe los gajos, desechando las membranas y recogiendo el zumo que caiga.

2   Pique los gajos y mézclelos con el zumo recogido, el tomate, el aceite y el cilantro. Incorpore el azúcar y salpimiente.

3   Coloque el salmón en la rejilla del gratinador. Mezcle el aceite con la salsa de soja, pinte el salmón con la mezcla y salpimiéntelo. Áselo bajo el gratinador, dándole la vuelta una vez, de 8 a 10 minutos hasta que el pescado esté firme y se desmenuce con facilidad.

4   Sirva el salmón con una cucharada de salsa de cítricos al lado.

TARTALETAS DE SALMÓN Y BRÉCOL

PARA UNAS 8 UNIDADES

90 g/2 tazas de ramitos de brécol (brócoli)

115 g/4 oz de filete de salmón cocido

425 g/15 oz de masa quebrada

harina, para espolvorear

1 huevo batido

ensalada, para acompañar

sal y pimienta, al gusto

BECHAMEL

25 g/2 cucharadas de mantequilla

30 g/¼ de taza de harina

300 ml/1¼ tazas de leche caliente

PREPARACIÓN

1   Cueza el brécol en agua hirviendo con un poco de sal entre 5 y 10 minutos hasta que esté tierno. Escúrralo y déjelo enfriar.

2   Para hacer la bechamel, derrita la mantequilla en un cazo, eche la harina y remueva sin cesar 2 minutos. Vierta la leche caliente poco a poco. Llévelo a ebullición sin dejar de remover y cuézalo a fuego lento hasta que se espese y quede homogéneo. Sazone la bechamel, apártela del fuego y déjela enfriar un poco, removiéndola de vez en cuando.

3   Desmenuce el salmón en un bol. Trocee los ramitos de brécol y échelos en el bol. Incorpore la bechamel y salpimiente al gusto. Mézclelo bien.

4   Precaliente el horno a 200 °C (400 °F). Extienda la masa en la encimera enharinada y recorte 16 redondeles con un cortapastas de 10 cm (4 in) de diámetro. Ponga 8 de los redondeles en los huecos de un molde múltiple para magdalenas. Reparta el relleno entre las tartaletas, sin rellenarlas del todo. Pinte el borde de los redondeles restantes con agua y cubra con ellos las tartaletas, presionando con las púas de un tenedor para sellarlas.

5   Píntelas con el huevo batido y hornéelas entre 20 y 25 minutos, o hasta que se doren. Sírvalas con ensalada.

RISOTTO DE SALMÓN AHUMADO

PARA 4 PERSONAS

50 g/4 cucharadas de mantequilla sin sal

1 cebolla picada

½ bulbo pequeño de hinojo picado

475 g/2½ tazas de arroz arborio

300 ml/1¼ tazas de vino blanco
o vermut

1,2 litros/5 tazas de caldo de pescado

170 g/6 oz de salmón ahumado desmenuzado

170 g/6 oz de lonchas (lonjas) de salmón ahumado

2 cucharadas de hojas de perifollo o perejil picado

sal y pimienta, al gusto

PREPARACIÓN

1 Derrita la mitad de la mantequilla a fuego medio en una cazuela grande y rehogue la cebolla y el hinojo, removiendo, de 5 a 8 minutos o hasta que empiecen a estar tiernos. Eche el arroz y remueva para que se impregne bien con la mantequilla. Cuézalo 3 minutos sin dejar de remover, vierta el vino y prosiga con la cocción hasta que se haya absorbido casi todo el líquido.

2 Lleve a ebullición el caldo en un cazo e incorpore un cucharón al arroz. Espere hasta que el líquido se haya consumido antes de verter el siguiente cucharón. Agregue el caldo restante hasta que el arroz esté al dente, y se haya absorbido casi todo el caldo.

3 Aparte la cazuela del fuego, incorpore los dos tipos de salmón y la mantequilla restante. Salpimiente el risotto y sírvalo con el perifollo esparcido por encima.

27

ATÚN

El atún fresco es una fuente importante de ácidos grasos omega-3 y antioxidantes para las arterias y el corazón, además de ser rico en vitamina E para la piel.

Con su consistencia similar a la carne, el atún fresco o congelado es la elección ideal incluso para los poco amantes del pescado, y además resulta fácil y rápido de preparar. Es una fuente excelente de proteínas y muy rico en vitaminas del grupo B, selenio y magnesio. Una pequeña ración cubre un 20 % de las necesidades diarias de vitamina E. Aunque en general concentra menos ácidos grasos omega-3 que otros tipos de pescado azul, la presencia de grasas saludables es notable. Las grasas DHA resultan muy efectivas a la hora de mantener el corazón y el cerebro a pleno rendimiento. Basta tomar una ración de atún a la semana para obtener la cantidad semanal recomendada de 1,4 g.

- Buena fuente de ácidos grasos omega-3 y ácidos EPA y DHA, que previenen varias enfermedades.
- Rico en magnesio y selenio para mantener sano el corazón.
- Muy rico en vitamina B12 para mantener un perfil sanguíneo bueno.

Consejos prácticos:

El pescado fresco no debe oler mal ni tener los ojos turbios u opacos, y es mejor cocinarlo el mismo día que se ha comprado. Para que conserve todas las propiedades de los ácidos grasos omega-3, selle el atún un poco por ambos lados el menor tiempo posible. Los filetes de atún también pueden trocearse y saltearse con hortalizas ya que, al contrario que otros tipos de pescado, su textura consistente no se deshace.

VALOR NUTRICIONAL DE 100 G/3½ OZ DE ATÚN

Calorías	144
Grasas	4,9 g
Proteínas	23 g
EPA	0,4 g
DHA	1,2 g
Niacina	8,3 mg
Vitamina B5	1 mg
Vitamina B6	0,5 mg
Vitamina B12	9,4 mg
Vitamina E	1 mg
Potasio	252 mg
Selenio	36 mcg
Magnesio	50 mg
Hierro	1 mg
Cinc	0,6 mg

¿SABÍA QUE...?

Los estudios demuestran que el atún en conserva pierde la mayoría de los ácidos grasos omega-3, por lo que no cuenta como una ración de pescado azul.

PAN DE PITA RELLENO DE ATÚN Y TOMATE

PARA 4 PERSONAS

4 panes de pita

1 lechuga trocadero cortada en tiras

8 tomates (jitomates) cherry partidos por la mitad

340 g/12 oz de atún en aceite, escurrido y desmenuzado

115 g/½ taza de mayonesa

1 cucharadita de ralladura fina de limón

2 cucharadas de zumo (jugo) de limón

3 cucharadas de cebollino (cebollín) picado

sal y pimienta, al gusto

PREPARACIÓN

1 Parta los panes de pita por la mitad para rellenarlos.

2 Reparta la lechuga entre los panes y luego añada el tomate y el atún.

3 Mezcle en un bol la mayonesa con la ralladura y el zumo de limón y el cebollino, y salpimiente. Échela sobre el relleno de los panes de pita y sírvalos.

FILETES DE ATÚN CON ENSALADA DE MANGO

PARA 2 PERSONAS

2 filetes de atún de unos
140 g/5 oz

aceite de oliva,
para pintar

sal y pimienta, al gusto

hojas de ensalada
variadas, para servir

ENSALADA DE MANGO

1 mango, ¼ de cebolla
roja, un trozo de pepino
de 2,5 cm/1 in
y ½ tomate (jitomate)
duro, en dados

½ cucharada de jalapeño
encurtido picado

1½ cucharadas de
cilantro picado

el zumo (jugo) y la
ralladura de ½ lima
(limón)

PREPARACIÓN

1   Para preparar la ensalada, mezcle el mango, la cebolla, el pepino, el tomate, el jalapeño y el cilantro con el zumo y la ralladura de lima. Remuévala y déjela reposar 15 minutos para que los sabores se entremezclen.

2   Caliente la plancha en el fuego. Pinte el atún con un poco de aceite por ambos lados y salpimiéntelo. Áselo 2 minutos por cada lado o hasta que esté dorado por fuera y poco hecho por dentro, o según desee.

3   Disponga los filetes de atún en los platos y reparta la ensalada por encima. Sírvalo enseguida acompañado de hojas de ensalada.

SASHIMI DE ATÚN

PARA 4 PERSONAS

2 zanahorias ralladas

1 rama de apio en rodajitas

1 cebolla roja pequeña
en rodajitas

1 trozo de jengibre de
2,5 cm/1 in rallado

340 g/12 oz de filete de atún

1 cucharadita de semillas de
sésamo, para adornar

ALIÑO

3 cucharadas de vinagre de
arroz o de vino blanco

1 cucharada de zumo (jugo)
de limón

2 cucharadas de shoyu o salsa
de soja

1 cucharadita de aceite
de sésamo

PREPARACIÓN

1   Para preparar el aliño, mezcle en un tarro con tapa de rosca
el vinagre, el zumo de limón, el shoyu y el aceite de sésamo,
y agítelo bien hasta obtener una emulsión.

2   Ponga la zanahoria, el apio, la cebolla y el jengibre en un bol,
y mézclelo bien. Rocíelo con la mitad del aliño y remueva bien.

3   Reparta la ensalada entre 4 platos. Con un cuchillo afilado,
corte el atún en lonchas finas y dispóngalas sobre la ensalada.

4   Rocíe el atún con el resto del aliño y sírvalo adornado con las
semillas de sésamo.

28

TRUCHA

La trucha es un pescado azul que aporta valiosos nutrientes para proteger las articulaciones, la vista y el cerebro.

Los ácidos grasos omega-3 regulan el estado de ánimo y el comportamiento, ya que influyen en la forma en que el organismo utiliza la serotonina y la dopamina, dos neurotransmisores. Se ha demostrado que dos o tres raciones de pescado azul a la semana mejoran el rendimiento intelectual y mitigan la falta de concentración, de memoria y de agudeza mental asociadas a la edad y al estrés. La trucha es el pescado azul menos contaminado por mercurio. Los pescados más grandes como el atún y el pez espada acumulan mercurio, por lo que los niños y las embarazadas deben evitar su consumo.

- Contiene astaxantina, una sustancia rosada beneficiosa para la vista y el cerebro.
- Contiene vitamina D, cuya carencia se ha relacionado con casos de depresión y demencia.
- Muy rica en vitaminas del grupo B, que aumentan la vitalidad.
- Los ácidos grasos omega-3 lubrican las articulaciones para garantizar agilidad y ausencia de dolor.

Consejos prácticos:

La trucha puede comprarse fresca o ahumada. La fresca puede rellenarla con hierbas y rodajas de limón y asarla en el horno, mientras que la ahumada es una buena alternativa al salmón, de sabor más fuerte. La trucha es un pescado azul muy recomendable para las personas poco amantes del pescado.

VALOR NUTRICIONAL DE 100 G/3½ OZ DE TRUCHA AHUMADA

Calorías	148
Grasas	6,61 g
EPA	0,2 g
DHA	0,53 g
Proteínas	20,77 g
Hidratos de carbono	0 mg
Fibra	0 mg
Vitamina B1	0,35 mg
Vitamina B3	4,5 mg
Vitamina B12	7,79 mg
Vitamina D	155 UI

ENSALADA DE TRUCHA AHUMADA

PARA 4 PERSONAS

1 pimiento (ají) rojo sin las semillas y partido por la mitad

4 filetes de trucha ahumada de unos 140 g/5 oz sin piel y desmenuzados

4 cebolletas (cebollas tiernas)

2 cogollos de endibia partidos por la mitad, sin el corazón y en juliana

1½ cucharadas de vinagre de vino de arroz y ½ de aceite de girasol

2 cucharadas de perejil picado

hojas de achicoria roja enjuagadas y secadas

sal y pimienta, al gusto

PREPARACIÓN

1   Pase un pelapatatas de hoja oscilante por la parte cortada del pimiento para obtener tiras muy finas. Píquelas y póngalas en un bol.

2   Añada la trucha, la cebolleta en rodajas y la endibia, y mézclelo bien. Agregue 1 cucharada del vinagre, el aceite, el perejil, sal y pimienta, y mézclelo de nuevo. Rectifique de vinagre.

3   Tape la ensalada y refrigérela hasta que vaya a servirla. Ponga unas hojas de achicoria en 4 platos. Remueva la ensalada y rectifique la sazón. Reparta la ensalada sobre las hojas de achicoria y sírvala.

PESCADO AL CURRY

PARA 4 PERSONAS

4 cucharadas de cacahuetes (manís) tostados

8-10 chalotes (echalotes), 2-3 guindillas (chiles) rojas frescas y 4 dientes grandes de ajo, picados

1 trozo de jengibre de 2,5 cm/1 in troceado

1 cucharadita de pasta de gambas, y 1 de cúrcuma y ½ de guindilla (chile)

60 ml/4 cucharadas de aceite de cacahuete (maní) y 240 ml/1 taza de agua templada

½ cucharadita de sal y ½ de azúcar

2 cucharadas de zumo (jugo) de tamarindo

700 g/25 oz de filetes de trucha sin piel

PREPARACIÓN

1 Triture los cacahuetes con el chalote, la guindilla, el ajo, el jengibre y la pasta de gambas en el robot de cocina o la batidora hasta obtener una pasta grumosa. Retírela y resérvela.

2 Caliente a fuego medio una cazuela grande y llana y eche el aceite. Incorpore la pasta de cacahuete y la cúrcuma y la guindilla molidas. Cuézalo, removiendo con frecuencia, hasta que la mezcla se dore. Prosiga con la cocción de 10 a 12 minutos más hasta que la mezcla desprenda su aroma; vaya añadiendo un poco de agua para que la mezcla no se pegue a la base de la cazuela.

3 Vierta el agua templada y agregue la sal, el azúcar y el zumo de tamarindo. Mézclelo todo bien e incorpore el pescado en lonchas con cuidado. Remueva y compruebe que el pescado esté recubierto de salsa. Tape la cazuela, baje el fuego al mínimo y cuézalo de 8 a 10 minutos. Retire la cazuela del fuego y sírvalo enseguida adornado con ramitas de cilantro y acompañado de arroz blanco.

TRUCHA CON SALSA DE BERROS

PARA 4 PERSONAS

4 truchas enteras y limpias de
unos 340 g/12 oz

aceite de oliva, para untar

1 manojito de perejil

1 manojito de cebollino
(cebollín)

1 limón en rodajitas

sal y pimienta

cuñas de limón, para servir

SALSA DE BERROS

2 manojos de berros, sin los
tallos gruesos, troceados

el zumo (jugo) de ½ limón

45 ml/3 cucharadas de caldo
de verduras o de pescado

¼ de cucharadita de sal

¼ de cucharadita de pimienta

60 ml/4 cucharadas de nata
(crema) extragrasa

60 ml/4 cucharadas de yogur

PREPARACIÓN

1   Precaliente la barbacoa. Retire las cabezas de las truchas y
marque cada pescado con dos incisiones oblicuas a cada lado.
Píntelas con aceite. Rellene las cavidades con el perejil, el
cebollino y las rodajitas de limón. Salpimiente. Engrase una
rejilla doble y coloque la truchas.

2   Para preparar la salsa, ponga los berros, el zumo de limón,
el caldo, la sal y la pimienta en el robot de cocina. Tritúrelo
2 o 3 minutos. Páselo a una jarra e incorpore la nata y el yogur.

3   Engrase la rejilla del horno. Ase las truchas a la brasa 5 o
6 minutos por cada lado, hasta que estén hechas. Retire las
truchas de la rejilla despegando la piel de la rejilla con la punta
de un cuchillo. Sírvalas en platos precalentados con cuñas de
limón y la salsa de berros.

29

VIEIRAS

Aunque no están al alcance de todos los bolsillos, las vieiras son muy ricas en vitamina B12 y magnesio, que protegen las arterias y los huesos.

Las vieiras son una magnífica fuente de vitamina B12, necesaria para que el organismo neutralice la homocisteína, un aminoácido que puede dañar las paredes de los vasos sanguíneos. Un nivel elevado de homocisteína también se relaciona con osteoporosis. Un estudio reciente ha demostrado que la osteoporosis afecta más a las mujeres con una carencia de vitamina B12. Esta sustancia reviste especial importancia para las personas que no consumen carne roja. Las vieiras también son una buena fuente de magnesio, y su consumo habitual aumenta la densidad ósea, regula el sistema nervioso y mantiene sano el corazón.

- Bajas en calorías y grasa, ideales para dietas hipocalóricas.
- Ricas en magnesio, esencial para todas las células y cuya carencia se relaciona con el asma, la diabetes y la osteoporosis.
- Rica fuente de vitamina B12 para proteger las arterias y los huesos.
- El consumo habitual podría prevenir el cáncer de colon.

Consejos prácticos:
Las vieiras frescas tienen que ser blancas y consistentes, evite las que estén marronosas o desprendan olor. El coral anaranjado puede desecharse o cocinarse con el resto de la vieira. Prepárelas con tiempos de cocción muy breves para que no queden correosas. El sabor dulce de las vieiras combina bien con guindilla, cilantro, ajo y perejil.

VALOR NUTRICIONAL DE 100 G/3½ OZ DE VIEIRAS SIN LAS VALVAS

Calorías	88
Grasas	0,8 g
Proteínas	16,8 g
Vitamina B12	1,5 g
Ácido fólico	16 mcg
Potasio	314 mg
Selenio	22 mcg
Magnesio	56 mg
Cinc	0,95 mg
Calcio	24 mg

¿SABÍA QUE...?

Las vieiras son ricas en triptófano, un aminoácido que favorece la producción de serotonina (la hormona del bienestar) en el cerebro y previene el insomnio.

VIEIRAS PICANTES A LA LIMA

PARA 4 PERSONAS

16 vieiras grandes
sin las valvas

1 cucharada de mantequilla
y 1 de aceite vegetal

1 cucharadita de ajo majado y
1 de jengibre recién rallado

1 manojo de cebolletas
(cebollas tiernas o de
verdeo) en rodajitas

la ralladura fina de 1 lima
(limón)

1 guindilla (chile) roja fresca
pequeña sin las semillas
y picada

45 ml/3 cucharadas de zumo
(jugo) de lima (limón

cuñas de lima (limón),
para adornar

arroz blanco, para acompañar

PREPARACIÓN

1 Con un cuchillo afilado, deseche la parte oscura del intestino de las vieiras, lávelas y séquelas con papel de cocina. Separe los corales de la parte blanca y corte esta por la mitad a lo ancho, para obtener 2 redondeles de cada vieira.

2 Caliente la mantequilla y el aceite en el wok precalentado. Saltee el ajo y el jengibre 1 minuto, sin que lleguen a dorarse. Añada la cebolleta y saltéela 1 minuto.

3 Eche las vieiras y siga salteando a fuego fuerte 4 o 5 minutos. Agregue la ralladura de lima, la guindilla y el zumo de lima, y cuézalo 1 minuto más.

4 Sirva las vieiras calientes, rociadas con el jugo de la cocción, adornadas con cuñas de lima y acompañadas de arroz.

VIEIRAS CON PAN RALLADO Y PEREJIL

PARA 4 PERSONAS

20 vieiras frescas
sin las valvas

200 g/1¾ barras de
mantequilla con sal,
y un poco más si fuera
necesario

3 rebanadas de pan
del día anterior
bien rallado

4 dientes de ajo picados

10 g/⅓ de taza de perejil
picado

sal y pimienta, al gusto

cuñas de limón,
para servir

PREPARACIÓN

1 Precaliente el horno a 110 °C (225 °F). Retire la vena oscura de las vieiras con un cuchillo pequeño y, después, enjuáguelas y séquelas. Salpiméntelas y resérvelas.

2 Derrita la mitad de la mantequilla en una cazuela o una sartén grandes a fuego medio. Añada el pan rallado y el ajo, baje el fuego a media potencia y rehóguelo, removiendo, 5 o 6 minutos, o hasta que se dore. Retire el pan rallado al ajo de la sartén, déjelo escurrir sobre papel de cocina y resérvelo caliente en el horno. Limpie la sartén.

3 Para poder hacer todas las vieiras a la vez, prepare 2 sartenes. Derrita 3½ cucharadas de mantequilla en cada una. Reparta las vieiras entre las 2 sartenes en una sola capa y rehóguelas 2 minutos a fuego medio.

4 Deles la vuelta y rehóguelas 2 o 3 minutos más, o hasta que estén doradas y bien hechas. Si fuera necesario, añada un poco más de mantequilla.

5 Esparza el pan rallado y el perejil por encima y sírvalas con cuñas de limón para aderezarlas.

VIEIRAS CON SALSA DE HABAS DE SOJA

PARA 4 PERSONAS

2 cucharadas de aceite vegetal

1 cucharadita de ajo picado

1 cucharadita de jengibre picado

1 cucharada de habas de soja negra fermentadas enjuagadas y un poco chafadas

400 g/14 oz de vieiras limpias

½ cucharadita de salsa de soja clara

1 cucharada de vino de arroz chino

1 cucharadita de azúcar

3-4 guindillas (chiles) rojas tailandesas frescas picadas

1-2 cucharaditas de caldo de pollo

1 cucharada de cebolleta (cebolla tierna o de verdeo) picada

PREPARACIÓN

1 Caliente un wok a fuego medio-fuerte y eche el aceite. Saltee el ajo y, después, añada el jengibre y saltéelo todo 1 minuto, o hasta que desprendan su aroma. Incorpore las habas de soja, añada las vieiras y saltéelo 1 minuto. Agregue la salsa de soja, el vino de arroz, el azúcar y la guindilla.

2 Cuézalo a fuego lento 2 minutos, o hasta que las vieiras estén hechas. Vierta el caldo y, por último, agregue la cebolleta, remueva y sirva el plato.

30

OSTRAS

Ricas en cinc, las ostras son muy apreciadas por sus propiedades nutricionales, que refuerzan el sistema inmunológico y favorecen el proceso de curación del organismo.

Aunque sus propiedades afrodisiacas no se han demostrado, las ostras son una de las fuentes más completas de cinc, un mineral estrechamente relacionado con la fertilidad y la virilidad. Esta sustancia también protege la piel y el sistema inmunológico, además de ser antioxidante. Estudios recientes demuestran que las ceramidas de las ostras inhiben la proliferación de las células del cáncer de mama. Asimismo, las ostras contienen una cantidad razonable de ácidos grasos omega-3, son ricas en selenio para reforzar el sistema inmunológico y contienen hierro fácilmente asimilable para aumentar la energía y mantener la sangre en buen estado.

- Fuente excelente de cinc para la fertilidad y la virilidad.
- Contienen compuestos y materiales que previenen el cáncer.
- Ricas en hierro para aumentar la energía y la resistencia a las infecciones y mantener la sangre en buen estado.
- Buena fuente de vitaminas del grupo B.

Consejos prácticos:

Las ostras tienen que estar muy frescas y, si las come crudas, vivas. Es más seguro consumirlas cultivadas, ya que se ha descubierto que las salvajes contienen niveles tóxicos de contaminantes. Si va a comerlas crudas, fróteles con un cepillo de púas rígidas bajo el chorro de agua fría. Deseche las que tengan las valvas rotas o magulladas, o las que no se cierren al golpearlas un poco porque querrá decir que están muertas.

VALOR NUTRICIONAL DE 6 OSTRAS

Calorías	50
Grasas	1,3 g
Proteínas	4,4 g
Vitamina B12	3,9 g
Ácido fólico	15 g
Selenio	53,5 mg
Magnesio	28 mg
Cinc	31,8 mg
Calcio	37 mg
Hierro	0,9 mcg

¿SABÍA QUE…?

Las ostras suelen engullirse de golpe, directamente de la valva y sin masticar. También pueden prepararse al vapor, aunque pierden parte de sus propiedades.

OSTRAS ROCKEFELLER

PARA 4 PERSONAS

24 ostras frescas

sal gorda

1 cucharada de mantequilla
sin sal y 2 de aceite de oliva
suave

6 cebolletas (cebollas tiernas)
y 3 cucharadas de apio

1 diente grande de ajo
majado y 15 ramitas
de berros

90 g/3 tazas de espinacas
tiernas

1 cucharada de licor de anís

25 g/¼ de taza de pan recién
rallado

unas gotas de tabasco,
al gusto

¼ de cucharadita de pimienta

cuñas de limón, para servir

PREPARACIÓN

1 Precaliente el horno a 200 °C (400 °F). Desbulla las ostras pasando un cuchillo entre las valvas y deseche el líquido. Extienda una capa de 1,25 cm (½ in) de sal en una fuente refractaria lo bastante grande para que las ostras quepan en una capa, y disponga las medias valvas bien encajadas. Tápelas con un paño húmedo mientras prepara la cobertura.

2 Derrita la mitad de la mantequilla y el aceite en una sartén. Eche la cebolleta y el apio picados y el ajo, y rehóguelos a fuego medio 2 o 3 minutos, removiendo hasta que estén tiernos.

3 Incorpore la mantequilla restante, añada los berros y las espinacas, ya enjuagadas y limpias, y rehóguelas 1 minuto, o hasta que pierdan volumen. Póngalo todo en el robot de cocina o la batidora y añada los ingredientes restantes. Tritúrelo hasta obtener una salsa homogénea.

4 Cubra cada ostra con 2 o 3 cucharaditas de la salsa. Cuézalas en el horno precalentado 20 minutos. Sirva las vieiras enseguida, con cuñas de limón para rociar por encima.

OSTRAS CON SALSA DE PANCETA Y CHALOTE

PARA 4 PERSONAS

12 ostras frescas
con las valvas

SALSA DE PANCETA Y CHALOTE

55 g/2 oz de panceta
picada

1 chalote (echalote,
escalonia) picado

115 g/1 barra de
mantequilla sin sal

1 cucharada de perejil
picado

sal

PREPARACIÓN

1   Para preparar la salsa, caliente una sartén a fuego medio-alto. Añada la panceta y el chalote y fríalos 5 minutos, removiendo, hasta que el chalote esté tierno y traslúcido y la panceta empiece a estar crujiente. Aparte la sartén del fuego y deje que se enfríe.

2   Mezcle la mantequilla con la panceta y chalote (evitando la grasa de la sartén) y el perejil. Remuévalo bien y sálelo.

3   Precaliente el gratinador al máximo. Frote las ostras con un cepillo de púas rígidas y enjuáguelas bajo el chorro de agua fría. Deseche las ostras abiertas que no se cierran al lavarlas.

4   Coloque las ostras bajo el gratinador precalentado con la parte redondeada hacia arriba. Áselas unos 10 minutos hasta que se abran y el líquido borbotee. Retírelas y levante el lado plano haciendo palanca, reservando el líquido y la ostra en la valva inferior. Corte el músculo que une la ostra a la valva. A medida que las vaya preparando, póngales un poco de la salsa por encima. Sírvalas enseguida.

OSTRAS ASADAS

PARA 2 PERSONAS

12 ostras frescas

4 cucharadas de pan recién rallado

2 cucharadas de pimiento (ají, morrón) rojo cortado en dados

1 cucharada de cebolleta (cebolla tierna o de verdeo) picada

1 cucharada de perejil picado

la ralladura de 1 lima (limón)

unas gotas de tabasco, y un poco más para servir (opcional)

3 cucharadas de parmesano recién rallado

PREPARACIÓN

1   Para abrir las ostras, sosténgalas con el lado plano hacia arriba, sobre un colador colocado encima de un bol para recoger el líquido que caiga. Pase un cuchillo entre las valvas a un lado y a otro para separarlas y haga palanca de modo que se levante la de arriba, y deséchela. Desprenda la ostra de la valva inferior, cule el líquido y resérvelo.

2   Arrugue un trozo de papel de aluminio y colóquelo en la bandeja del gratinador. Coloque las ostras en la bandeja manteniéndolas planas con ayuda del papel de aluminio. Precaliente el gratinador a la temperatura máxima.

3   Mezcle en un cuenco el pan rallado con el pimiento, la cebolleta, el perejil y la ralladura de lima. Humedézcalo con el líquido de las ostras y unas gotas de tabasco, si lo desea, y reparta la mezcla entre las ostras.

4   Esparza el parmesano por encima y gratínelas 3 o 4 minutos, o hasta que se doren y borboteen. Sírvalas enseguida con más tabasco, si lo desea.

LÁCTEOS Y HUEVOS

KÉFIR

El kéfir es menos conocido que el yogur, aunque gracias a sus propiedades rejuvenecedoras y su capacidad de refuerzo del sistema inmunológico tiene cada vez más adeptos.

31

VALOR NUTRICIONAL DE 120 ML/½ TAZA DE KÉFIR

Calorías	61
Grasas	variable
Proteínas	variable
Hidratos de carbono	variable
Calcio	1,2 g
Potasio	120 mg
Cinc	0,36 mg

La incorporación de kéfir a la dieta amplía el radio de acción del refuerzo del sistema inmunológico de alimentos fermentados como el yogur, el miso y la col fermentada. Se ha demostrado que ejerce efectos sumamente positivos en el tracto digestivo, donde el equilibrio de bacterias buenas y malas es la base de la capacidad del organismo para combatir infecciones bacterianas, virus y hongos. Los estudios también revelan que destruye bacterias dañinas, y podría ralentizar el crecimiento de ciertos tumores. Una de las bacterias probióticas vivas del kéfir, *Lactobacillus casei,* es lo bastante fuerte para combatir pulmonías.

- Los pequeños grumos del kéfir son más digestibles que el yogur, lo que permite eliminar toxinas a través del tracto digestivo.
- Aporta proteínas y calcio como la leche, pero es más adecuado para las personas con una leve intolerancia a la lactosa.
- Utilizado desde siempre para potenciar la energía, aliviar afecciones cutáneas y aumentar la longevidad.

Consejos prácticos:
Encontrará kéfir en tiendas de dietética, pero también puede prepararlo en casa con cultivos disponibles en Internet. El kéfir también puede prepararse con agua de coco o incluso agua (aunque el valor nutricional indicado en esta página incluye los nutrientes de la leche). Cunsuma el kéfir como si fuera yogur. Es una base excelente para batidos, ya que su acidez compensa el dulzor de la fruta.

BATIDO DE ARÁNDANOS

PARA 2 PERSONAS

120 ml/½ taza de kéfir
120 ml/½ taza de agua
225 g/1½ tazas de arándanos

PREPARACIÓN

1 Bata el kéfir con el agua y los arándanos en el robot de cocina o la batidora hasta obtener un puré homogéneo.

2 Vierta el batido en vasos y sírvalo enseguida.

PAN DE KÉFIR

PARA 1 PAN GRANDE

2¼ cucharaditas de
levadura de panadería

180 ml/¾ de taza de agua
templada

470 g/3¾ tazas de harina
para pan, y un poco más
para espolvorear

1½ cucharaditas de sal
marina fina

1 cucharadita de azúcar

160 ml/²/₃ de taza de
leche de kéfir, y un
poco más para glasear

aceite de oliva, para untar

un poco de polenta
o sémola, para
espolvorear

PREPARACIÓN

1   Eche la levadura sobre el agua, remuévalo y déjelo reposar
unos 10 minutos. Tamice la harina con la sal y el azúcar en un
bol grande. Haga un hoyo en el centro y vierta el agua con la
levadura y la leche. Remuévalo para obtener una masa húmeda,
vuélquela en la encimera enharinada y amásela 10 minutos,
hasta que esté suave y elástica. Forme una bola y déjela en
un bol grande untado con un poco de aceite. Tápela con film
transparente y déjela leudar en un lugar cálido 30 minutos.

2   Trabaje 1 minuto la masa, vuelva a formar una bola, déjela en el
bol, tápela de nuevo y déjela reposar otros 30 minutos, o hasta
que doble su volumen.

3   Espolvoree la bandeja del horno con polenta. Dele forma de
óvalo a la masa y póngala en la bandeja. Tápela holgadamente
con film transparente engrasado y déjela reposar 30 minutos.
Precaliente otra bandeja en el horno a 220 °C (425 °F).

4   Pinte todo el pan con kéfir y marque una línea en el centro con
un cuchillo de sierra. Póngalo sobre la bandeja precalentada
y hornéelo 40 minutos o hasta que se dore y tenga una corteza
dura. Déjelo enfriar en una rejilla metálica antes de servirlo.

EMPANADILLAS DE KÉFIR

PARA 15 UNIDADES

250 g/2 tazas de harina, y un poco más para espolvorear

1 pizca de sal

50 g/½ taza de azúcar glas (impalpable)

140 g/1¼ barras de mantequilla sin sal fría troceada

45 ml/3 cucharadas de leche de kéfir

30 g/1 oz de almendra molida

1 huevo grande batido, para pintar

azúcar, para espolvorear

RELLENO

200 g/7 oz de moras maduras

2 cucharadas de azúcar

2 cucharaditas de zumo (jugo) de limón

2 cucharadas de confitura de frambuesa

PREPARACIÓN

1 Mezcle la harina, la sal y el azúcar en el robot de cocina. Incorpore la mantequilla con los dedos hasta que adquiera la textura de migas de pan. Vierta la leche y trabaje la masa hasta que se ligue formando grumos grandes. Amásela un poco y luego envuélvala en film transparente y déjela en el frigorífico al menos 30 minutos.

2 Mientras tanto, para preparar el relleno chafe en un bol las moras con el azúcar y el zumo de limón. Incorpore la confitura.

3 Precaliente el horno a 200 °C (400 °F). Extienda la masa en la encimera espolvoreada con harina hasta que tenga 2,5 cm (¼ in) de grosor y recorte 15 redondeles con un cortapastas de 10 cm (3½ in) de diámetro, extendiendo los recortes si fuera necesario. Espolvoree los redondeles con 1 cucharadita de la almendra y ponga 1 cucharada del relleno de moras en el centro de cada uno. Pinte los bordes con huevo y doble la masa sobre el relleno envolviéndolo. Pellizque los bordes para sellarlos.

4 Disponga las empanadillas en la bandeja del horno forrada con papel vegetal. Píntelas con el huevo batido restante y espolvoréelas con azúcar. Cuézalas en el horno precalentado de 20 a 25 minutos, hasta que se doren. Sírvalas templadas.

32

YOGUR GRIEGO

El yogur griego contiene bacterias que refuerzan el sistema inmunológico y mantienen el sistema digestivo sano y fuerte.

El yogur griego contiene menos azúcar y más proteínas que otros tipos de yogur y se tamiza para eliminar el suero rico en hidratos de carbono. Su textura espesa sacia más que la de yogures más aguados, y al tener menos lactosa (azúcar de la leche) es más fácil de digerir. El consumo habitual de yogur probiótico refuerza el sistema inmunológico y mejora la resistencia frente a las enfermedades.

- El yogur en general reduce el colesterol malo, pero solo el que no está pasteurizado aumenta el bueno, garantizando la buena salud de las arterias.
- Fuente importante de vitamina B12 para los vegetarianos que previene afecciones cutáneas, así como alzhéimer, cardiopatías y diabetes.

Consejos prácticos:

Elija siempre yogur sin pasteurizar, puesto que contiene los cultivos vivos beneficiosos. Si es posible, cómprelo directamente al productor, o bien en tiendas de dietética. Estos productos contienen sus propias bacterias y no las que suelen añadirse en el proceso de producción. Evite el yogur con sabor a frutas, ya que contiene azúcar añadido, y endúlcelo con fruta fresca o canela. El cremoso y refrescante sabor del yogur griego es una buena alternativa a la leche, la nata, la nata agria y la nata fresca espesa que contienen muchas comidas y guarniciones, además de algunos postres.

VALOR NUTRICIONAL DE 120 ML/½ TAZA DE YOGUR GRIEGO (probiótico)

Calorías	61
Grasas	3,25 g
Proteínas	3,47 g
Hidratos de carbono	4,66 g
Vitamina A	99 UI
Vitamina B2	0,14 mg
Vitamina B5	0,39 mg
Vitamina B12	0,37 mcg
Colina	15,2 mg
Calcio	121 mg
Potasio	155 mg

TZATZIKI

PARA 4 PERSONAS

1 pepino pequeño

300 ml/1¼ tazas de yogur griego probiótico

1 diente grande de ajo majado

1 cucharada de menta o eneldo picados

sal y pimienta, al gusto

PREPARACIÓN

1 Pele el pepino y rállelo. Escúrralo y estrújelo para retirar la mayor cantidad de agua posible. Páselo a un bol.

2 Añada el yogur, el ajo y la menta picada (si lo desea, reserve un poco de menta para adornar). Sazone la mezcla con pimienta. Remuévala bien y déjela unas 2 horas en el frigorífico antes de servirla.

3 Remueva la salsa y pásela a una salsera. Sálela y sírvala adornada con menta picada, si lo desea.

ENSALADA DE COL LOMBARDA Y REMOLACHA

PARA 4 PERSONAS

250 g/3¾ tazas de col lombarda (repollo morado) y 80 g/ 1 tazade remolacha (betarraga) cocida

1 manzana descorazonada y en láminas finas

1 cucharada de zumo (jugo) de limón

1 cucharada de semillas de girasol y 1 de semillas de calabaza (zapallo anco)

ALIÑO

3 cucharadas de mayonesa, 1 de vinagre de vino tinto y 60 ml/4 cucharadas de yogur griego

sal y pimienta, al gusto

PREPARACIÓN

1 Ponga la col, la remolacha en juliana y la manzana en un cuenco. Añada el zumo de limón y remueva bien.

2 Para preparar el aliño, bata todos los ingredientes en otro bol. Aderece la ensalada y remuévala bien. Salpimiéntela, tápela y refrigérela al menos 1 hora.

3 Remueva bien la ensalada y rectifique la sazón. Antes de servirla, esparza las semillas de girasol y de calabaza por encima.

SALSA DE FETA

PARA 4-6 PERSONAS

125 g/1 taza de queso feta
desmenuzado

60 ml/4 cucharadas de yogur
griego

2 cucharadas de aceite de
oliva virgen extra

la ralladura y el zumo (jugo)
de 1 limón pequeño

1 manojito de menta picado

1 puñadito de perejil picado

½ guindilla (ají picante, chile)
roja sin las semillas
y picada

pimienta, al gusto

PREPARACIÓN

1 Bata 30 segundos en el robot de cocina el queso con el yogur
y el aceite hasta que estén bien mezclados.

2 Pase la mezcla a un bol y añada la ralladura y el zumo de limón,
la menta, el perejil y la guindilla. Sazone la salsa con pimienta
y remuévala bien.

3 Déjela enfriar en el frigorífico 30 minutos antes de servirla.

33

HUEVOS

Los huevos son una fuente excelente de proteínas, además de contener todos los aminoácidos que favorecen la reparación y la regeneración celular del organismo.

Los huevos contienen todos los elementos necesarios para albergar una nueva vida, todos los nutrientes necesarios para el crecimiento: hierro, cinc, vitamina A, vitamina D, vitaminas del grupo B y ácidos grasos omega-3. Muchas personas evitan su consumo porque contienen colesterol, pero si la dieta es baja en azúcares y en grasas saturadas el organismo puede compensarlo. Los estudios demuestran que el consumo de huevos previene enfermedades crónicas asociadas a la edad como cardiopatías, pérdida de masa muscular, degeneración de la vista, alopecia y falta de memoria.

- Contienen vitamina B12, que combate la fatiga, la depresión y el letargo.
- La vitamina A y la luteína protegen los ojos y ayudan a mantener una buena visión.
- Una de las pocas fuentes alimentarias de vitaminas K y D, que refuerzan los huesos.
- Contienen azufre y lecitina, dos sustancias que favorecen la digestión y la depuración del hígado.

Consejos prácticos:

Los huevos no pueden faltar en ninguna despensa y se preparan de muchas formas, como escalfados, revueltos o cocidos. Las tortillas preparadas con saludables hortalizas también pueden degustarse frías como aperitivo. Los huevos de producción ecológica poseen un mayor valor nutricional, como revela la yema de color más fuerte y el sabor más intenso.

VALOR NUTRICIONAL DE 1 HUEVO MEDIANO

Calorías	65
Grasas	4,37 g
Ácidos grasos omega-3	32,6 mg
Ácidos grasos omega-6	505 mg
Ácidos grasos omega-9	1582 mg
Proteínas	5,53 g
Hidratos de carbono	0,34 g
Vitamina A	214 UI
Vitamina D	22 UI
Vitamina B2	0,21 mg
Vitamina B5	0,63 mg
Vitamina B12	0,57 mcg
Vitamina K	0,1 mcg
Colina	110,5 mg
Hierro	0,81 mg
Selenio	13,9 mcg
Cinc	0,49 mg
Luteína/Zeaxantina	146 mcg

TORTILLA A LAS HIERBAS

PARA 1 PERSONA

2 huevos grandes

2 cucharadas de leche

3 cucharadas de mantequilla

las hojas de 1 ramita de perejil picadas

2 tallos de cebollino (cebollín) fresco picados

sal y pimienta, al gusto

ensalada verde, para acompañar

PREPARACIÓN

1 Casque los huevos en un bol. Añada la leche, salpimiente y bátalo hasta mezclar los ingredientes.

2 Caliente una sartén a fuego medio. Eche 2 cucharadas de la mantequilla y, con una espátula de goma, repártala por toda la sartén mientras se derrite.

3 En cuanto la mantequilla deje de chisporrotear, vierta el huevo. Extiéndalo con un movimiento circular con la espátula, sin raspar el fondo.

4 En cuanto la tortilla comience a cuajar, empuje el huevo cocido hacia el centro de la sartén con la espátula. Repita esta operación 3 minutos, o hasta que la tortilla haya cuajado por abajo pero aún esté algo líquida por arriba.

5 Disponga las hierbas encima de la tortilla. Dóblela por la mitad con la espátula, cubriendo las hierbas. Deslícela a un plato y esparza la mantequilla restante por encima. Sírvala enseguida acompañada de unas hojas de ensalada.

HUEVOS AL HORNO CON SALSA DE TOMATE Y MAÍZ

PARA 4 PERSONAS

2 cucharadas de mantequilla y 2 de aceite de oliva

1 cebolla, 2 dientes de ajo y 1 rama de apio

225 g/8 oz de beicon (tocino, panceta) magro

1 pimiento (ají) rojo en dados y 4 tomates (jitomates) pera pelados, sin las semillas

2 cucharadas de concentrado de tomate (jitomate)

azúcar moreno, sal y pimienta, al gusto

1 cucharada de perejil picado y 1 pizca de cayena

240 g/8½ oz de maíz (elote) en conserva

4 huevos grandes

PREPARACIÓN

1 Derrita la mantequilla con el aceite en una cazuela. Sofría la cebolla, el ajo y el apio picados a fuego lento, removiendo de vez en cuando, 5 minutos hasta que se ablanden. Incorpore el beicon y el pimiento y siga rehogando otros 10 minutos más sin dejar de remover.

2 Incorpore el tomate troceado, el concentrado, el azúcar, el perejil, la cayena y 120 ml (½ taza) de agua y salpimiente. Lleve la salsa a ebullición a temperatura moderada y, después, baje el fuego y cuézala, removiendo a menudo, unos 15 minutos, hasta que se espese. Mientras tanto, precaliente el horno a 180 °C (350 °F).

3 Incorpore el maíz escurrido y pásela a una fuente refractaria. Haga cuatro hoyos en la salsa con el dorso de una cuchara y casque 1 huevo sobre cada uno. Cuézalo en el horno de 25 a 30 minutos, o hasta que los huevos cuajen. Sírvalo.

HUEVOS ESCALFADOS A LA FLORENTINA

PARA 4 PERSONAS

1 cucharada de aceite
de oliva

170 g/6 oz de espinacas

4 rebanadas gruesas
de chapata

2 cucharadas de mantequilla

4 huevos grandes

100 g/1 taza de cheddar
rallado

sal y pimienta, al gusto

nuez moscada recién rallada,
para adornar

PREPARACIÓN

1   Precaliente una plancha al máximo. Caliente el aceite en una cazuela, eche las espinacas y saltéelas 2 o 3 minutos hasta que se ablanden. Escúrralas en un colador, presionándolas con el dorso de una cuchara para el máximo posible de agua. Salpiméntelas y resérvelas calientes.

2   Tueste el pan por ambas caras hasta que esté dorado. Unte las rebanadas de pan con la mantequilla y colóquelas con el lado untado hacia arriba en la bandeja del horno.

3   Lleve un cazo de agua con un poco de sal a ebullición, casque los huevos con cuidado en una taza, déjelos caer en la cazuela y escálfelos unos 3 minutos, hasta que las claras cuajen pero las yemas sigan estando líquidas. Sáquelos de la cazuela con una espumadera.

4   Reparta las espinacas entre las tostadas y ponga un huevo escalfado sobre cada una. Esparza el queso rallado por encima y gratínelos un par de minutos hasta que el queso se haya derretido. Espolvoréelos con nuez moscada y sírvalos.

CEREALES Y LEGUMBRES

34

ARROZ INTEGRAL

El alto contenido de fibra del arroz integral reduce el colesterol y mantiene estables los niveles de glucosa, por lo que es una opción más saludable que el arroz blanco.

Mientras que el arroz blanco contiene pocos nutrientes aparte del almidón, el integral tiene muchas propiedades beneficiosas. El consumo habitual de este y otros cereales integrales previene cardiopatías, diabetes y algunos tipos de cáncer. El arroz integral es una buena fuente de fibra, que reduce el colesterol y mantiene estables los niveles de glucosa. Además, contiene proteínas y es una buena fuente de varias vitaminas del grupo B y minerales, sobre todo selenio y magnesio.

- Índice glucémico razonablemente bajo que regula la glucosa en sangre y puede ir bien en caso de diabetes.
- La vitamina B lo transforma en energía y mantiene el sistema nervioso en buen estado.
- Rico en selenio, que previene el cáncer, y en magnesio, importante para proteger el corazón.

Consejos prácticos:

Guarde el arroz en un lugar fresco y oscuro y consúmalo pocos meses después de comprarlo. El arroz integral dura menos que el blanco, ya que contiene pequeñas cantidades de grasa que pueden deteriorarse con el tiempo. También cabe destacar que cuanto más tiempo guarde el arroz, más tardará en cocerse. El arroz cocido se conserva un par de días en el frigorífico si se enfría enseguida tras cocerlo, pero hay que calentarlo muy bien antes de servirlo para matar las bacterias que pueden resultar tóxicas.

VALOR NUTRICIONAL DE 70 G/⅓ DE TAZA DE ARROZ INTEGRAL SIN COCER

Calorías	222
Grasas	1,8 g
Proteínas	5 g
Hidratos de carbono	46 g
Fibra	3,6 g
Niacina	3 mg
Vitamina B1	0,2 mg
Vitamina B6	0,3 mg
Selenio	19,6 mcg
Magnesio	86 mg
Hierro	0,8 mg
Cinc	1,3 g
Calcio	20 mg

¿SABÍA QUE…?

Un 90 % del arroz se cultiva y se consume en Asia, donde se conoce desde hace más de 6000 años.

SOPA DE POLLO AL CURRY

PARA 4-6 PERSONAS

55 g/½ taza de mantequilla

2 cebollas picadas

1 nabo pequeño y 2 zanahorias

1 manzana pelada, sin el corazón y troceada

2 cucharadas de curry en polvo poco picante

1,2 litros/5 tazas de caldo de pollo y el zumo (jugo) de ½ limón

170 g/6 oz de pollo cocido frío troceado

2 cucharadas de cilantro picado, y más para adornar

sal y pimienta, al gusto

95 g/½ taza de arroz blanco, para acompañar

PREPARACIÓN

1 Derrita la mantequilla en una cazuela a fuego medio. Sofría un poco la cebolla hasta que se ablande pero sin que llegue a dorarse.

2 Añada el nabo en dados, la zanahoria en rodajitas y la manzana, y siga rehogando 3 o 4 minutos más.

3 Eche el curry y remueva para que las hortalizas queden bien impregnadas. A continuación, vierta el caldo. Llévelo a ebullición y después cuézalo a fuego lento, tapado, 45 minutos. Salpimiente la sopa y añada el zumo de limón.

4 Pásela al robot de cocina o la batidora. Tritúrela hasta que quede homogénea y devuélvala a la cazuela enjuagada. Agregue el pollo y el cilantro y caliéntela bien.

5 Aparte la cazuela del fuego. Reparta el arroz entre los boles precalentados y eche la sopa encima. Adorne el plato con ramitas de cilantro y sírvalo enseguida.

ARROZ INTEGRAL CON ESPÁRRAGOS

PARA 4 PERSONAS

240 g/1¼ tazas de arroz largo

1 hoja de laurel

600 ml/2½ tazas de caldo de verduras sin gluten o agua

225 g/8 oz de espárragos en trozos medianos

el zumo (jugo) de 1 lima (limón)

2 cucharadas de aceite de oliva virgen extra

75 g/½ taza de nueces de Brasil troceadas

sal y pimienta, al gusto

PREPARACIÓN

1   Ponga el arroz y el laurel en una cazuela grande, vierta el caldo y llévelo a ebullición a fuego fuerte. Remuévalo un poco y baje el fuego. Tápelo y cuézalo, removiendo de vez en cuando, unos 35 minutos, o según las indicaciones del envase, hasta que el arroz absorba todo el líquido y empiece a estar tierno. Retire y deseche el laurel.

2   Mientras tanto, ponga a hervir agua en una cazuela a fuego fuerte. Eche los espárragos y cuézalos de 3 a 5 minutos, o hasta que empiecen a estar tiernos. Si lo prefiere, cuézalos al vapor 5 o 6 minutos para que conserven más nutrientes. Luego escúrralos bien.

3   Mezcle el arroz y los espárragos en un bol grande y rocíelo con el zumo de lima y el aceite. Mézclelo bien.

4   Incorpore las nueces de Brasil y salpimiente. Sírvalo templado o frío.

ARROZ INTEGRAL CON GARBANZOS Y ESPECIAS

PARA 4 PERSONAS

¹/₂ cucharada de aceite de oliva

1 cucharadita de semillas de comino algo majadas

¹/₂ cucharadita de semillas de cilantro algo majadas

1 cebolla roja en rodajas

³/₄ de cucharadita de garam masala (puede comprarla en tiendas de productos asiáticos o prepararla mezclando a partes iguales comino molido, pimienta negra, clavo y nuez moscada)

315 g/1¹/₂ tazas de arroz integral

55 g/¹/₃ de taza de pasas

840 ml/3¹/₂ tazas de caldo de verduras hirviendo

425 g/15 oz de garbanzos (chícharos) cocidos, escurridos y enjuagados

10 g/¹/₃ de taza de cilantro picado, y unas ramitas para adornar

2 cucharadas de almendra fileteada

170 g/1¹/₃ tazas de queso feta escurrido y desmenuzado, para servir

PREPARACIÓN

1   Caliente el aceite en una cazuela y eche las semillas de comino y de cilantro. Fríalas un minuto antes de añadir la cebolla. Sofríala 2 o 3 minutos y, después, incorpore el garam masala. Añada el arroz y las pasas, y remueva para que se impregnen bien.

2   Vierta el caldo y llévelo a ebullición. Baje el fuego, tápelo y cuézalo 25 minutos, hasta que el arroz absorba todo el caldo y esté hecho.

3   Incorpore los garbanzos, el cilantro y la almendra. Apártelo del fuego, repártalo entre 4 cuencos individuales y sírvalo templado o frío, adornado con el feta desmenuzado y ramitas de cilantro

35

ALUBIAS ROJAS

Las alubias rojas son ricas en hierro y una fuente excelente de proteínas de buena calidad, cinc y fibra, y contienen compuestos que previenen la formación de coágulos.

VALOR NUTRICIONAL DE 65 G/⅓ DE TAZA DE ALUBIAS ROJAS SECAS

Calorías	200
Grasas	0,8 g
Proteínas	13,7 g
Hidratos de carbono	36 g
Fibra	10 g
Ácido fólico	205 mcg
Vitamina B1	0,25 mg
Niacina	0,9 mg
Magnesio	66 mg
Potasio	640 mg
Cinc	1,6 g
Calcio	55 mg
Hierro	3,5 mg

Ricas en proteínas y minerales, las alubias rojas son una buena opción para los vegetarianos. Una ración de 65 g (⅓ de taza) cubre al menos una cuarta parte de nuestras necesidades diarias de hierro para prevenir la anemia y aumentar la vitalidad, mientras que el cinc refuerza el sistema inmunológico y preserva la fertilidad. Su alto contenido en fibra insoluble previene el cáncer de colon, mientras que la fibra total regula los niveles de glucosa en sangre en casos de diabetes y resistencia a la insulina.

- Fuente excelente de proteínas, hierro y calcio para vegetarianos.
- Muy ricas en fibra, que regula la liberación de insulina y calma el apetito, por lo que están indicadas en dietas hipocalóricas.
- Previenen el cáncer de colon.
- Muy ricas en potasio, que evita la retención de líquidos y controla la hipertensión.

Consejos prácticos:

Hay pocas diferencias entre las alubias rojas secas y las envasadas, por lo que si dispone de poco tiempo le resultarán más prácticas estas últimas. Crudas contienen una toxina que puede provocar trastornos estomacales, vómitos y diarrea si no se cocinan adecuadamente. Si las elige secas, déjelas toda la noche en remojo o al menos 12 horas, enjuáguelas con agua fría y hiérvalas a fuego fuerte 10 minutos como mínimo antes de cocinarlas para eliminar las toxinas.

LEGUMBRES PICANTES CON TOMATE

PARA 5 PERSONAS

200 g/1 taza de legumbres
variadas, como alubias
(porotos, frijoles) rojas,
pintas y blancas,
y garbanzos (chícharos)

1 cebolla roja en daditos,
1 diente de ajo majado y
1 cucharada de guindilla
(ají picante, chile) molida

410 g/14½ oz de tomate
(jitomate) troceado
en conserva

1 cucharada de concentrado
de tomate (jitomate)

60 ml/¼ de taza de
yogur semidesnatado
(semidescremado),
para adornar

tortillas de trigo blandas,
para acompañar

PREPARACIÓN

1 La noche anterior de preparar el plato, deje las legumbres
en remojo en un bol con agua fría. Escúrralas, enjuáguelas y
páselas a una olla. Cúbralas con agua fría, llévelas a ebullición
y cuézalas a fuego fuerte 10 minutos. Baje el fuego, tape la olla
y cuézalas a fuego lento 45 minutos más, o hasta que estén
tiernas. Escúrralas.

2 Ponga en una olla las legumbres cocidas con la cebolla, el ajo,
la guindilla, el tomate y el concentrado, y llévelo a ebullición.
Baje el fuego, tápelo y cuézalo a fuego lento de 20 a 25 minutos,
o hasta que la cebolla esté tierna.

3 Reparta las legumbres entre los cuencos y adórnelas con el
yogur. Sírvalo enseguida, con tortillas de harina.

ARROZ CON ALUBIAS ROJAS

PARA 6 UNIDADES

450 g/1 libra de alubias (porotos) rojas secas

450 g/1 libra de jarrete de cerdo ahumado

320 g/2 tazas de cebolla, 240 g/2 tazas de apio, 350 g/2 tazas de pimiento (ají) verde y 7 g/ $\frac{1}{4}$ de taza de perejil, picados

225 g/8 oz de tomate (jitomate) troceado en conserva y 3 hojas de laurel

1 cucharadita de tomillo, 1 de ajo en polvo, 1 de orégano, 1 de cayena molida y $\frac{1}{2}$-1 de salsa picante

450 g/1 libra de salchicha ahumada, sal y pimienta al gusto y arroz blanco, para servir

PREPARACIÓN

1   Escurra las alubias, remojadas toda la noche, póngalas en una cazuela de hierro fundido y cúbralas con agua fría. Agregue el resto de los ingredientes, excepto la salchicha, y llévelo a ebullición a fuego fuerte. Salpimiéntelo, tápelo, baje el fuego y cuézalo 1 hora y 45 minutos.

2   Retire el cerdo y resérvelo. Corte la salchicha en rodajas y échelas en la cazuela. Cuézalo tapado a fuego lento 40 minutos, removiendo de vez en cuando. Retire el laurel y deséchelo.

3   Separe la carne de los jarretes y échela en la cazuela. Remuévalo bien, tápelo y cuézalo hasta que esté bien caliente. Sírvalo sobre un lecho de arroz blanco.

HAMBURGUESAS VEGETARIANAS

PARA 4-6 PERSONAS

70 g/½ taza de bulgur

180 g/1 taza de alubias (porotos, frijoles) rojas cocidas, escurridas y enjuagada

180 g/1 taza de alubias (chícharos) blancas cocidas, escurridas y enjuagadas

1-2 guindillas (ajís picantes, chiles) rojas frescas sin las pepitas (semillas) y troceadas

2-3 dientes de ajo

6 cebolletas (cebollas tiernas o de verdeo) troceadas

1 pimiento (ají, morrón) amarillo sin las pepitas (semillas), pelado y picado

1 cucharada de cilantro picado

100 g/1 taza de cheddar rallado

2 cucharadas de harina integral

1-2 cucharadas de aceite de girasol

1 tomate (jitomate) grande en rodajas

sal y pimienta

panecillos integrales para hamburguesa, para servir

PREPARACIÓN

1   Ponga el bulgur en un colador y enjuáguelo bajo el chorro de agua fría. Cuézalo en una cazuela de agua hirviendo con un poco de sal siguiendo las indicaciones del envase, hasta que esté tierno. Escúrralo y resérvelo.

2   Triture en el robot de cocina las alubias con las guindillas, el ajo, la cebolleta, el pimiento, el cilantro y la mitad del queso. Añada el bulgur reservado y salpimiente. Mézclelo bien y forme 6 hamburguesas. Cúbralas con un paño y déjelas enfriar 1 hora. A continuación, rebócelas con la harina.

3   Precaliente el gratinador a temperatura moderada. Caliente una sartén de base gruesa y vierta el aceite. Cuando esté caliente, fría las hamburguesas a fuego medio 5 o 6 minutos por cada lado, o hasta que estén doradas.

4   Coloque 1 o 2 rodajas de tomate sobre cada hamburguesa y reparta el queso restante por encima. Áselas bajo el gratinador 2 o 3 minutos, o hasta que el queso empiece a derretirse. Sírvalas en panecillos integrales para hamburguesa.

36

LENTEJAS

Las lentejas son unas de las legumbres más ricas en fibras anticancerígenas, las isoflavonas y el lignano, además de ser bajas en grasa.

Hay lentejas de distintas variedades, como verdinas, pardinas y rojas. Las verdinas y las pardinas suelen concentrar la mayor cantidad de nutrientes y fibra. Las lentejas son muy ricas en fibra soluble e insoluble, que previene el cáncer y las cardiopatías. Asimismo contienen isoflavonas, que previenen el cáncer y las cardiopatías, y lignano, que ejerce un suave efecto estrogénico que podría reducir la incidencia de cáncer, neutralizar el síndrome premenstrual y prevenir la osteoporosis. Las lentejas también son ricas en vitaminas del grupo B, ácido fólico y los principales minerales, sobre todo hierro y cinc.

- Ricas en fibra, que previene cardiopatías y cáncer.
- Hierro para mantener un perfil sanguíneo bueno y aumentar la vitalidad.
- Fitoquímicos que neutralizan el síndrome premenstrual y refuerzan los huesos.
- Ricas en cinc, que refuerza el sistema inmunológico.

Consejos prácticos:

Las lentejas son de las pocas legumbres que no precisan remojo. También son relativamente rápidas de hacer, basta cocerlas unos 30 minutos en agua hirviendo. Si las hierve con caldo en lugar de agua tendrá una base para sopas excelente, saludable y práctica. Las lentejas en conserva contienen casi tantos nutrientes como las secas, por lo que son una buena alternativa.

VALOR NUTRICIONAL DE 65 G/⅓ DE TAZA DE LENTEJAS ROJAS SECAS

Calorías	212
Grasas	0,6 g
Proteínas	15,5 g
Hidratos de carbono	36 g
Fibra	18 g
Ácido fólico	287 mcg
Vitamina B1	0,5 mg
Niacina	1,6 mg
Vitamina B6	0,3 mg
Magnesio	73 mg
Potasio	573 mg
Cinc	2,9 g
Calcio	34 mg
Hierro	4,5 mg

¿SABÍA QUE...?

Las lentejas son uno de los cultivos más antiguos que existen, como demuestra el hecho de que se encontraran semillas de 8000 años de antigüedad en Oriente Próximo.

LEGUMBRES A LAS CINCO ESPECIAS

PARA 4 PERSONAS

130 g/²⁄₃ de taza de lentejas rojas

130 g/²⁄₃ de taza de judías mungo (porotos de soja)

900 ml/3³⁄₄ de agua caliente

1 cucharadita de cúrcuma molida y 1 de sal, o al gusto

1 cucharada de zumo (jugo) de limón y 2 de aceite de oliva

¹⁄₄ de cucharadita de cada de semillas de mostaza negra, semillas de comino, semillas de cebolla negra y semillas de hinojo

4-5 semillas de alholva

2-3 guindillas (chiles) rojas

1 tomate (jitomate) pequeño sin las semillas y ramitas de cilantro, para adornar

PREPARACIÓN

1 Enjuague las lentejas y las judías partidas y peladas bajo el chorro de agua fría. Póngalas en una olla con el agua caliente y llévelas a ebullición. Baje el fuego y cueza las legumbres 5 o 6 minutos. Añada la cúrcuma, baje el fuego al mínimo, tape la olla y prosiga con la cocción 20 minutos más. Agregue la sal, el zumo de limón y, si el guiso quedara demasiado espeso, añada un poco más de agua.

2 Caliente el aceite a fuego medio en un cazo. Cuando esté a punto de humear, eche las semillas de mostaza. En cuanto empiecen a saltar, baje el fuego al mínimo y añada las semillas de comino, cebolla, hinojo y alholva, y las guindillas majadas. Deje que las especias chisporroteen hasta que empiecen a saltar y las guindillas se chamusquen.

3 Ponga las legumbres en una fuente de servicio y rocíelas con las especias rehogadas. Adórnelo con el tomate en tiras y las ramitas de cilantro. Sírvalo enseguida.

HAMBURGUESAS DE LENTEJAS CON ESPECIAS

PARA 6 UNIDADES

100 g/½ taza de lentejas verdinas y 1 zanahoria pelada

2 cucharadas de aceite vegetal, y más para freír, y 1 de semillas de mostaza marrón

1 cucharadita de cilantro y 1 de comino, molidos

½ cebolla y 1 guindilla (chile) verde, picadas

1 cucharadita de ajo majado

50 g/⅓ de taza de guisantes (arvejas) descongelados

1 patata (papa) cocida

115 g/1¼ tazas de pan rallado

6 panecillos integrales para hamburguesa partidos por la mitad

chutney de mango comprado, hojas de lechuga, y sal y pimienta

PREPARACIÓN

1   Lleve agua con un poco de sal a ebullición en una olla. Eche las lentejas y, cuando el agua rompa de nuevo el hervor, baje el fuego y cuézalas 15 minutos. Añada la zanahoria en dados y prosiga con la cocción unos 10 minutos más, hasta que las lentejas estén tiernas. Escúrralo.

2   Caliente el aceite en una sartén mediana. Eche la mostaza, el cilantro y el comino, y gire la sartén para que se impregnen bien en el aceite. Añada la cebolla, la guindilla y el ajo, y rehóguelo todo de 5 a 8 minutos, removiendo a menudo, hasta que la cebolla se ablande. Incorpore las lentejas y la zanahoria, y caliéntelo a fuego lento unos 5 minutos para que se evapore el líquido. Agregue los guisantes y la patata, ya pelada y chafada, salpimiente y mézclelo bien.

3   Ponga el pan rallado en un plato llano. Divida las mezcla de lentejas en 6 porciones iguales y deles forma de hamburguesa. Rebócelas por ambos lados con el pan rallado.

4   Caliente una plancha estriada o una sartén grande a fuego medio y vierta aceite suficiente para freírlas. Fría las hamburguesas unos 5 minutos por cada lado, hasta que se doren.

5   Dispóngalas en los panecillos con un poco de chutney y unas hojas de lechuga y sírvalas enseguida.

TALLARINES CON SALSA DE LENTEJAS Y TOMATE

PARA 4 PERSONAS

200 g/1 taza de lentejas verdinas

2 cucharadas de aceite de oliva

1 cebolla grande picada

2 dientes de ajo majados

2 zanahorias picadas

2 ramas de apio picadas

800 g/28 oz de tomate (jitomate) troceado en conserva

160 ml/^{2}/$_3$ de taza de caldo de verduras

1 pimiento (ají, morrón) rojo sin las semillas y picado

2 cucharadas de concentrado de tomate (jitomate)

2 cucharaditas de romero fresco picado

1 cucharadita de orégano

280 g/10 oz de tallarines o espaguetis

1 puñado de hojas de albahaca troceadas

sal y pimienta

parmesano para vegetarianos recién rallado, para servir

PREPARACIÓN

1 Ponga las lentejas en una cazuela y cúbralas con agua fría. Llévelas a ebullición y cuézalas unos 30 minutos, o siguiendo las indicaciones del envase. Escúrralas bien.

2 Mientras tanto, caliente el aceite en una cazuela y sofría la cebolla, el ajo, la zanahoria y el apio. Tápelo y cuézalo a fuego muy lento 5 minutos. Incorpore el tomate, el caldo, el pimiento, el concentrado de tomate, el romero y el orégano. Tápelo y cuézalo 20 minutos más, hasta que la salsa se espese y las hortalizas estén tiernas. Añada las lentejas y prosiga con la cocción 5 minutos más, removiendo. Salpimiente la salsa.

3 Mientras prepara la salsa, ponga a hervir en una olla agua con sal. Eche los tallarines y, contando desde que vuelva a romper el hervor, cuézalos al dente siguiendo las indicaciones del envase. Escúrralos bien y repártalos entre 4 platos precalentados. Reparta la salsa por encima y añada las hojas de albahaca. Sirva los tallarines enseguida, con queso rallado aparte.

37

CEBADA INTEGRAL

Este cereal feculento extremadamente nutritivo contiene fibra soluble que ayuda a bajar el colesterol y previene algunos tipos de cáncer hormonodependiente y cardiopatías.

VALOR NUTRICIONAL DE 65 G/⅓ DE TAZA DE CEBADA INTEGRAL SIN COCER

Calorías	212
Grasas	1,4 g
Proteínas	7,5 g
Hidratos de carbono	44 g
Fibra	10,4 g
Vitamina B1	0,4 mg
Niacina	2,8 mg
Selenio	22,5 mcg
Magnesio	80 mg
Potasio	271 mg
Cinc	1,7 g
Calcio	20 mg
Hierro	2,2 mg
Luteína/Zeaxantina	96 mcg

La cebada integral es un cereal con un intenso sabor que recuerda a los frutos secos y una textura correosa. La variedad de cebada más habitual es la perlada, que pierde casi todos los nutrientes y la fibra al procesarla, mientras que a la integral solo se le quita la cascarilla y, por tanto, es una fuente de nutrientes más rica. Entre ellos se cuenta un compuesto similar a la fibra, el lignano, que previene algunos tipos de cáncer hormonodependiente como el de mama y cardiopatías. Aun siendo un cereal, la cebada contiene luteína y zeaxantina, que protegen la vista y la salud de los ojos.

- Cereal integral que previene algunos tipos de cáncer y cardiopatías.
- Buena fuente de minerales y vitaminas del grupo B.
- Rica en fibra para el colon y fibra soluble para bajar el colesterol.
- Mantiene una buena salud visual.

Consejos prácticos:

La cebada integral se hierve unas dos horas en agua hirviendo, pero si se deja varias horas en remojo necesitará menos tiempo de cocción. Las grasas de la cebada se enrancian con facilidad, sobre todo si se expone a la luz y ambientes cálidos. Lo mejor es guardarla dentro de un recipiente hermético en un lugar seco, frío y oscuro y consumirla en dos o tres meses. El agua de cebada, resultado de la maceración de los granos, se considera una bebida saludable por sus propiedades diuréticas y sus efectos beneficiosos en la salud renal.

SOPA DE HORTALIZAS Y CEBADA

PARA 4-6 PERSONAS

2 cucharadas de aceite de girasol

1 cebolla y 1 rama de apio, picados, y 1 diente de ajo

1,5 litros/6½ tazas de caldo de verduras

100 g/½ taza de cebada integral

1 ramillete de hierbas (1 hoja de laurel, ramitas de tomillo fresco y de perejil)

2 zanahorias peladas

400 g/14½ oz de tomate (jitomate) troceado en conserva

½ col (repollo) pequeña

sal y pimienta, al gusto

2 cucharadas de perejil picado, para adornar

PREPARACIÓN

1 Caliente el aceite en una olla. Sofría la cebolla, el apio y el ajo majado a fuego medio de 5 a 7 minutos, o hasta que se ablanden.

2 Vierta el caldo y llévelo a ebullición, espumándolo de vez en cuando. Añada la cebada enjuagada y el ramillete de hierbas, baje el fuego, tape la olla y cuézalo de 30 minutos a 1 hora, o hasta que la cebada comience a ablandarse.

3 Incorpore la zanahoria en dados y el tomate con su jugo a la sopa. Devuélvala a ebullición, baje el fuego, tápela y cuézala 30 minutos más, o hasta que la cebada y la zanahoria estén tiernas.

4 Poco antes de servirla, retire las hierbas, incorpore la col, sin el troncho y en juliana, y salpimiente. Cuézala hasta que la col se ablande, póngala en boles, adórnela con el perejil y sírvala enseguida.

POLLO CON CEBADA PERLADA

PARA 4 PERSONAS

2 cucharadas de aceite vegetal

8 muslitos de pollo sin piel

600 ml/2½ tazas de caldo de pollo

100 g/½ taza de cebada perlada

200 g/7 oz de patatas (papas) nuevas pequeñas raspadas y por la mitad a lo largo

2 zanahorias grandes, 1 puerro, 2 chalotes y 1 calabacín, en rodajas

1 cucharada de concentrado de tomate (jitomate)

1 hoja de laurel y 2 cucharadas de perejil, 2 de harina y 4 de agua

sal y pimienta, al gusto

PREPARACIÓN

1 Caliente el aceite en una cazuela a fuego medio. Rehogue los muslos de pollo 3 minutos, deles la vuelta y después 2 minutos por el otro lado. Incorpore el caldo, la cebada enjuagada y escurrida, la patata, la zanahoria, el puerro, el chalote, el concentrado de tomate y el laurel. Llévelo a ebullición, baje el fuego y deje que hierva a fuego lento 30 minutos.

2 Añada el calabacín y el perejil picado, tape la cazuela y prosiga con la cocción 20 minutos, hasta que el pollo esté tierno y al pinchar la parte más carnosa con una brocheta, salga un jugo claro. Retire y deseche el laurel.

3 En un cuenco, diluya la harina en el agua hasta obtener una pasta homogénea. Incorpórela al guiso y prosiga con la cocción unos 5 minutos más a fuego lento. Salpimiente.

4 Aparte la cazuela del fuego, reparta el guiso entre cuencos individuales y adórnelo con unas ramitas de perejil, si lo prefiere. Sírvalo enseguida.

SOPA DE CEBOLLA, LENTEJAS Y CEBADA

PARA 6 PERSONAS

2 cucharadas de cebada perlada

160 ml/²/₃ de taza de agua

1,7 litros/7 tazas de caldo de verduras

3 cebollas en rodajitas

150 g/¾ de taza de lentejas verdinas

½ cucharadita de jengibre molido

1 cucharadita de comino molido

3 cucharadas de zumo (jugo) de limón

2 cucharadas de cilantro picado

sal y pimienta, al gusto

PARA ADORNAR

2 cebollas partidas por la mitad y en rodajas finas

80 ml/¹/₃ de taza de aceite vegetal

2 dientes de ajo picados

PREPARACIÓN

1 Ponga la cebada en una cazuela, cúbrala con el agua y llévelo a ebullición. Baje el fuego, tape la cazuela y déjelo a fuego suave, removiendo a menudo, unos 30 minutos, o hasta que se haya absorbido todo el líquido.

2 Agregue el caldo, la cebolla, las lentejas, el jengibre y el comino, y llévelo a ebullición a temperatura moderada. Baje el fuego, tápelo y cuézalo, removiendo a menudo, 1½ horas, añadiendo un poco más de caldo si fuera necesario.

3 Mientras tanto, prepare el aliño. Esparza la cebolla sobre un papel de cocina doble y cúbrala con otro papel. Déjela secar 30 minutos. Caliente el aceite en una sartén. Rehogue la cebolla a fuego lento, removiendo de vez en cuando, 20 minutos o hasta que se dore. Incorpore el ajo y siga rehogando, sin dejar de remover, otros 5 minutos más. Retire la cebolla del aceite con una espumadera y déjela escurrir sobre papel de cocina.

4 Salpimiente la sopa, incorpore el zumo de limón y el cilantro y cuézala 5 minutos más. Sírvala adornada con la cebolla dorada.

AVENA

La avena es rica en fibra soluble y una fuente de grasas saludables. Ayuda a controlar el apetito, baja el colesterol malo y mantiene estables los niveles de glucosa.

VALOR NUTRICIONAL DE 65 G/⅓ DE TAZA DE AVENA, COCIDA

Calorías	233
Grasas	4 g
Proteínas	10 g
Hidratos de carbono	40 g
Fibra	6,4 g
Ácido fólico	34 mcg
Vitamina B1	0,5 mg
Niacina	0,6 mg
Vitamina E	1,5 mg
Magnesio	106 mg
Potasio	257 mg
Cinc	2,4 g
Calcio	32 mg
Hierro	2,8 mg

A la avena se le atribuyen varias propiedades saludables. Es rica en un tipo de fibra soluble llamada betaglucano y se ha demostrado que reduce el colesterol malo, aumenta el bueno y regula el sistema circulatorio. También contiene una serie de antioxidantes y fitoquímicos que mantienen el corazón y las arterias en buen estado, como avenantramidas (fitoquímicos con propiedades antibióticas) y vitamina E. Asimismo, contiene polifenoles, compuestos vegetales que neutralizan el crecimiento de tumores. Tiene un índice glucémico relativamente bajo, por lo que resulta muy recomendable en casos de dietas hipocalóricas, resistencia a la insulina y diabetes.

• Contiene fitoquímicos que previenen el cáncer.
• Rica fuente de vitaminas y minerales, como vitaminas del grupo B, vitamina E, magnesio, calcio y hierro.

Consejos prácticos:
Conserve la avena en un recipiente hermético en un lugar seco, frío y oscuro, y consúmala en el plazo de 2 o 3 semanas. Con los copos se pueden preparar galletas y coberturas crujientes, mientras que la harina de avena puede sustituir a la de trigo. Aunque la avena contiene pequeñas cantidades de gluten, las personas con intolerancia al gluten suelen tolerarla bien, sobre todo si no consumen más de 260 g (1⅓ tazas) al día. Si es celíaco, consulte con su médico antes de tomar avena.

BOCADITOS DE AVENA Y MIEL

PARA 16 UNIDADES

170 g/1½ barras de mantequilla sin sal, y un poco más para engrasar

3 cucharadas de miel

135 g/¾ de taza de azúcar moreno

80 g/⅓ de taza de crema de cacahuete (maní)

225 g/2½ tazas de copos de avena

50 g/⅓ de taza de orejones de albaricoque (damasco) picados

2 cucharadas de pipas (semillas) de girasol

2 cucharadas de semillas de sésamo

PREPARACIÓN

1 Precaliente el horno a 180 °C (350 °F). Engrase y forre un molde cuadrado de 20 cm (8 in).

2 Derrita en un cazo a fuego lento la mantequilla, la miel y el azúcar. Cuando la mantequilla se haya derretido, añada la crema de cacahuete y remueva hasta que todo esté bien mezclado. Agregue los ingredientes restantes y mézclelo bien.

3 Disponga la pasta, presionándola, en el molde y cuézala unos 20 minutos en el horno precalentado. Retírela del horno, déjela enfriar en el molde y después córtela en porciones cuadradas y sírvalas.

GALLETAS TRADICIONALES DE AVENA

PARA 30 UNIDADES

80 g/³/₄ de taza de mantequilla o margarina, y un poco más para untar

240 g/1¹/₃ tazas de azúcar moreno claro

1 huevo

4 cucharadas de agua

1 cucharadita de esencia de vainilla

400 g/4¹/₃ tazas de copos de avena

125 g/1 taza de harina

1 cucharadita de sal

¹/₃ de cucharadita de bicarbonato

PREPARACIÓN

1   Precaliente el horno a 180 °C (350 °F) y unte una bandeja grande con un poco de mantequilla.

2   Bata en un bol grande la mantequilla con el azúcar hasta obtener una crema. Agregue el huevo, el agua y la vainilla, y bátalo hasta que esté homogéneo. Mezcle en otro bol la avena con la harina, la sal y el bicarbonato.

3   Incorpore la mezcla de avena a la de mantequilla y mézclelo bien.

4   Disponga de forma espaciada cucharadas de la pasta en la bandeja. Cueza las galletas en el horno precalentado 15 minutos, o hasta que se doren.

5   Con una espátula, páselas con cuidado a una rejilla metálica para que se enfríen del todo.

GALLETAS SALADAS DE AVENA

PARA 12-14 UNIDADES

aceite o mantequilla derretida, para engrasar

80 g/¾ de barra de mantequilla sin sal, y un poco más para untar

90 g/1 taza de copos de avena

30 g/¼ de taza de harina integral

½ cucharadita de sal marina gruesa

1 cucharadita de tomillo

50 g/¹⁄₃ de taza de nueces picadas

1 huevo batido

45 g/¼ de taza de semillas de sésamo

PREPARACIÓN

1 Precaliente el horno a 180 °C (350 °F) y unte 2 bandejas con un poco de mantequilla.

2 Con los dedos, mezcle la mantequilla con la avena y la harina. Incorpore la sal, el tomillo y las nueces y, a continuación, añada el huevo y mézclelo hasta obtener una masa homogénea. Extienda las semillas de sésamo en una fuente llana grande. Separe la masa en porciones del tamaño de una nuez, deles forma de bola y rebócelas uniformemente con el sésamo.

3 Coloque las bolas de masa bien espaciadas en las bandejas y páseles el rodillo por encima para que queden lo más planas posible. Hornéelas de 12 a 15 minutos, o hasta que adquieran consistencia y se doren un poco.

4 Déjelas reposar en las bandejas 3 o 4 minutos y páselas a una rejilla metálica para que se enfríen por completo.

39

QUINOA

La quinoa, la mejor fuente de proteínas completas de todos los vegetales, aporta los componentes fundamentales para la regeneración de la piel, los huesos y el cerebro.

VALOR NUTRICIONAL DE 100 G / ½ TAZA DE QUINOA SIN COCER

Calorías	368
Grasas	6,07 g
Ácidos grasos omega-6	2977 mg
Proteínas	14,12 g
Hidratos de carbono	64,16 g
Fibra	7 mg
Vitamina B1	0,36 mg
Vitamina B2	0,32 mg
Vitamina B3	1,52 mg
Vitamina B5	0,77 mg
Vitamina B6	0,49 mg
Ácido fólico	184 mg
Magnesio	197 mg
Hierro	4,57 mg
Fósforo	457 mg
Potasio	563 mg
Manganeso	2,03 mg
Selenio	8.5 mcg
Cinc	3,1 mg

Muchos alimentos vegetales carecen de uno o más de los aminoácidos, pero la quinoa contiene todos los aminoácidos, además de numerosos minerales y vitaminas del grupo B. Estos nutrientes permiten asimilar con eficacia las proteínas de la quinoa, que generan la gran cantidad de energía necesaria para la renovación constante de la piel, el cabello, las uñas, los huesos y los órganos. En realidad la quinoa es una semilla, no un cereal. Como tal, es rica en ácidos grasos omega-6, de propiedades antiinflamatorias, e ideal en casos de intolerancia al trigo o al gluten.

• Contiene fósforo para fabricar fosfolípidos en el cerebro y el sistema nervioso.
• El potasio equilibra el sodio, reduciendo la hinchazón y la hipertensión.
• El cinc y el selenio ofrecen una potente acción antioxidante.

Consejos prácticos:
Si se guarda convenientemente en un recipiente hermético, la quinoa se conserva hasta un año, mejor si es en un lugar frío, seco y oscuro. La quinoa se cuece de modo similar al arroz. Tiene un agradable sabor a frutos secos y es habitual en platos de la cocina mexicana e india. En copos o en grano también es una buena opción para los cereales del desayuno. La quinoa es lo bastante versátil para preparar tanto postres dulces como platos salados.

TABULÉ

PARA 4 PERSONAS

300 g/1½ tazas de quinoa

600 ml/2½ tazas de agua

10 tomates (jitomates) cherry
madurados al sol partidos
por la mitad

1 trozo de pepino de 7,5 cm/
3 in en cuartos y, después,
en rodajas

3 cebolletas (cebollas tiernas
o de verdeo) picadas

el zumo (jugo) de ½ limón

2 cucharadas de aceite de
oliva virgen extra

7 g/¼ de taza de cada de
menta, cilantro y perejil,
picados

sal y pimienta, al gusto

PREPARACIÓN

1 Ponga la quinoa en una cazuela mediana y cúbrala con el agua.
Llévela a ebullición, tape la cazuela y cueza la quinoa a fuego
lento 15 minutos. Escúrrala si fuera necesario.

2 Deje enfriar un poco la quinoa antes de mezclarla con los
ingredientes restantes en una ensaladera. Rectifique la sazón
y sírvalo.

ENSALADA DE QUINOA Y GARBANZOS

PARA 4 PERSONAS

65 g/⅓ de taza de quinoa roja

1 guindilla (chile) roja sin las semillas y 8 cebolletas, picadas

3 cucharadas de menta picada

2 cucharadas de aceite de oliva

2 cucharadas de zumo (jugo) de limón recién exprimido

40 g/⅓ de taza de harina de garbanzos (chícharos)

1 cucharadita de comino molido y ½ de pimentón

1 cucharada de aceite vegetal

200 g/1 taza de garbanzos (chícharos) cocidos

PREPARACIÓN

1   Ponga la quinoa en una cazuela mediana y cúbrala con agua. Caliéntela a fuego lento y cuézala 10 minutos, o hasta que empiece a estar tierna. Escúrrala, pásela bajo el chorro de agua fría y vuelva a escurrirla. Póngala en una ensaladera, añada la guindilla, la cebolleta y la menta, y mézclelas bien.

2   Bata con un tenedor el aceite y el zumo de limón en un cuenco.

3   Tamice la harina de garbanzos con el comino y el pimentón en un bol ancho y hondo. Caliente el aceite vegetal en una sartén a fuego medio. Reboce los garbanzos con la harina condimentada y fríalos por tandas a fuego lento, removiendo a menudo, 2 o 3 minutos, hasta que se doren.

4   Mezcle los garbanzos, ya escurridos y enjuagados, templados con la quinoa e incorpore enseguida el aliño. Sírvalo a la mesa templado o frío.

QUINOA CON HORTALIZAS ASADAS

PARA 2-4 PERSONAS

- 2 pimientos (ajís, morrones) (de cualquier color) sin las semillas y troceados
- 1 calabacín (zapallito) grande troceado
- 1 bulbo de hinojo pequeño en láminas finas
- 1 cucharada de aceite de oliva
- 2 cucharaditas de hojas de romero picadas
- 1 cucharadita de hojas de tomillo fresco picadas
- 100 g/½ taza generosa de quinoa
- 360 ml/1½ tazas de caldo de verduras
- 2 dientes de ajo pelados y majados
- 3 cucharadas de perejil picado
- 50 g/⅓ de taza de piñones tostados
- sal y pimienta, al gusto

PREPARACIÓN

1 Precaliente el horno a 200 °C (400 °F). Ponga el pimiento, el calabacín y el hinojo en una fuente refractaria en la que quepan en una sola capa.

2 Rocíe las hortalizas con el aceite y condiméntelas con el romero y el tomillo. Salpiméntelas bien y remuévalas con las manos limpias. Áselas de 25 a 30 minutos, hasta que estén tiernas y algo chamuscadas.

3 Mientras tanto, ponga en una cazuela la quinoa, el caldo y el ajo. Llévelo a ebullición, tápelo y cuézalo de 12 a 15 minutos, hasta que la quinoa esté tierna y haya absorbido casi todo el caldo.

4 Saque la cazuela del horno. Eche la quinoa en la fuente con las hortalizas. Añada el perejil y los piñones y remuévalo bien. Sírvalo templado o frío.

40

ALFORFÓN

El alforfón contiene una amplia variedad de flavonoides, en especial rutina. Estas sustancias favorecen la circulación de la sangre, por lo que previenen las varices.

Técnicamente el alforfón es una semilla y no un cereal, por lo que es una fuente excelente de fibra y energía en casos de intolerancia al trigo y al gluten. Tanto si es intolerante como si no, limitar el consumo de trigo puede resultar beneficioso; el alforfón se digiere mejor y también es más alcalino, por lo que ayuda al organismo a llevar a cabo los procesos físicos con más eficacia. Es una fuente de energía de liberación lenta y se recomienda en caso de diabetes porque libera los azúcares de manera constante en el torrente sanguíneo. Como el mijo, el alforfón contiene sustancias llamadas nitrilosidas esenciales para procesos depurativos que eliminan las toxinas perjudiciales del organismo.

- Contiene lecitina, que deshace las grasas del hígado y de los alimentos que ingerimos, favoreciendo la depuración y reduciendo el ansia por comer grasas.
- La acción conjunta del magnesio y el potasio garantiza un corazón y unos huesos sanos.
- El selenio produce glutatión y coenzima Q-10, dos antioxidantes rejuvenecedores.

Consejos prácticos:
El alforfón es una buena alternativa al arroz. Se puede comprar también en copos y tomarlo como los cereales del desayuno.
Con la harina de alforfón se obtienen excelentes tortitas sin gluten o blinis típicas de Polonia, Rusia y también Francia.

VALOR NUTRICIONAL DE 100 G/½ TAZA DE ALFORFÓN SIN COCER

Calorías	343
Grasas	3,4 g
Ácidos grasos omega-6	1052 mg
Proteínas	13,25 g
Hidratos de carbono	71,5 g
Fibra	10 mg
Vitamina B2	0,43 mg
Vitamina B3	7,02 mg
Vitamina B5	1,23 mg
Vitamina B6	0,21 mg
Ácido fólico	30 mcg
Magnesio	231 mg
Potasio	460 mg
Manganeso	1,33 mg
Selenio	8,3 mcg
Cinc	2,4 mcg

GACHAS DE ALFORFÓN CON LECHE DE ALMENDRA

PARA 6 PERSONAS

70 g/½ taza de almendras enteras escaldadas remojadas toda la noche
300 ml/1¼ tazas de agua

GACHAS

400 g/2 tazas de alforfón (trigo sarraceno) remojado 90 minutos en agua fría

1 cucharadita de canela molida

2 cucharadas de sirope de agave, y un poco más para servir

fresas (frutillas) en láminas, para acompañar

PREPARACIÓN

1. Para preparar la leche, escurra las almendras y póngalas en la batidora de vaso o el robot de cocina. Tritúrelas con el agua. Deje la batidora en marcha un par de minutos para triturar al máximo las almendras.

2. Viértalo en un colador forrado con muselina colocado sobre un bol o una jarra, y apriételo con el dorso de una cuchara para extraer todo el líquido posible. Debería obtener unas 1¼ tazas de leche de almendra.

3. Enjuague la harina de alforfón con abundante agua fría. Póngala en la batidora o el robot con la leche de almendra, la canela y el sirope de agave. Tritúrelo hasta obtener una pasta de textura gruesa.

4. Refrigérelo unos 30 minutos como mínimo o toda la noche. Se conserva hasta 3 días, tapado, en el frigorífico.

5. Sírvalo en cuencos, adornado con fresas y sirope de agave al gusto.

ENSALADA DE ALFORFÓN, FETA Y TOMATE

PARA 4 PERSONAS

2 cucharadas de aceite de oliva y 1 cebolla

2 dientes de ajo majados

1 taza de alforfón (trigo sarraceno)

400 g/14½ oz de tomate (jitomate) troceado en conserva

½ cucharadita de concentrado de tomate (jitomate)

240 ml/1 taza de caldo de verduras bajo en sodio

1 cucharada de salvia fresca picada o 1 cucharadita de salvia seca

1 pizca de copos de guindilla (chile) roja seca

100 g/¾ de taza de feta desmenuzado y escurrido, sal y pimienta

PREPARACIÓN

1   Caliente el aceite a fuego medio-fuerte en una sartén honda con tapadera. Sofría la cebolla picada y el ajo majado unos 5 minutos. Incorpore el alforfón y saltéelo 1 minutos más.

2   Añada el tomate con su jugo, el concentrado de tomate, el caldo, la salvia, la guindilla, sal y pimienta. Llévelo a ebullición sin dejar de remover, baje el fuego, tape la sartén y cuézalo de 20 a 25 minutos, o hasta que el líquido se haya absorbido y el alforfón esté tierno.

3   Incorpore con suavidad el feta, tape de nuevo la sartén y déjelo reposar 20 minutos. Antes de servir la ensalada, ahuéquela un poco con un tenedor.

PAN DE ALFORFÓN

PARA 1 PAN

125 g/1 taza de harina de alforfón (trigo sarraceno), y un poco más para espolvorear

80 g/²⁄₃ de taza de harina de arroz

1 cucharadita de sal

1 cucharadita de goma xantana

2 cucharaditas de levadura en polvo sin gluten

300 ml/1¼ tazas de leche, y un poco más para pintar

1 cucharadita de vinagre de vino blanco

1 cucharada de aceite de oliva

PREPARACIÓN

1   Precaliente el horno a 200 °C (400 °C). Tamice la harina de alforfón, la de arroz, la sal, la xantana y la levadura en un bol, y haga un hueco en el centro.

2   Mezcle la leche con el vinagre y el aceite, échelo en el bol y mézclelo todo hasta obtener una masa suave.

3   Espolvoree la bandeja del horno con un poco de harina. Forme con la masa una bola de 20 cm (8 in) y póngala en la bandeja. Presiónela un poco y márquela con una cruz profunda con un cuchillo afilado.

4   Pinte el pan con un poco de leche y hornéelo durante 25 a 30 minutos, o hasta que se suba, adquiera consistencia y se dore. Déjelo enfriar en una rejilla metálica.

41

MISO

El miso es un ingrediente tradicional japonés con el que se condimentan varios platos. Como es sabido, la dieta japonesa se asocia a la longevidad y la buena salud.

El miso es un condimento tradicional japonés fruto de la fermentación de soja con sal y un cultivo llamado koji, aunque también se elabora con arroz, trigo o cebada. Como el yogur y el kéfir, el miso se asocia a la salud intestinal puesto que alimenta las bacterias probióticas beneficiosas del organismo. Esto favorece la eliminación de toxinas y la absorción de nutrientes para mantener sano el cuerpo. Los alimentos fermentados también refuerzan el sistema inmunológico, reduciendo la hipersensibilidad y la inflamación propias de las alergias al polen y los problemas cutáneos.

- Contiene triptófano, necesario para fabricar la serotonina responsable del bienestar y el sueño reparador.
- El manganeso fabrica la enzima superóxido dismutasa, un antioxidante de acción depurativa.
- La vitamina K transporta el calcio por todo el cuerpo y favorece la salud ósea y la coagulación de la sangre.
- Rico en cinc, que refuerza el sistema inmunológico y acelera los procesos curativos, además de rejuvenecer la piel.

Consejos prácticos:

El miso es salado, pero basta una pequeña cantidad para disfrutar de todo su sabor y aprovechar sus minerales. En pasta es mejor que en polvo y, si se mezcla con agua hirviendo, se obtiene una sopa rápida y sencilla. Para preparar un caldo más consistente, mézclelo con hortalizas hervidas y jengibre y, si lo desea, gambas, pollo o tofu.

VALOR NUTRICIONAL DE 1 CUCHARADA DE MISO

Calorías	34
Grasas	1,03 g
Proteínas	2,01 g
Hidratos de carbono	4,55 g
Fibra	0,93 g
Vitamina B1	0,02 mg
Vitamina B2	0,04 mg
Vitamina B3	0,16 mg
Vitamina B5	0,06 mg
Vitamina B6	0,03 mg
Vitamina B12	0,43 mcg
Vitamina K	8,53 mcg
Hierro	0,43 mg
Selenio	1,2 mcg
Cinc	0,44 mg
Manganeso	0,3 mg

SOPA DE MISO

PARA 4 PERSONAS

1 litro/4 tazas de agua

2 cucharaditas de dashi granulado

80 g/$^3/_4$ de taza de tofu sedoso, escurrido y en dados

4 setas (hongos) shiitake en láminas finas

3 cucharadas de pasta de miso

2 cebolletas (cebollas tiernas o de verdeo) picadas

PREPARACIÓN

1 Ponga el agua en una cazuela, eche el dashi y llévelo a ebullición. Agregue el tofu y las setas y déjelo a fuego bajo durante 3 minutos.

2 Incorpore el miso y deje que la sopa hierva suavemente, removiendo, hasta que se haya disuelto.

3 Añada la cebolleta y sirva la sopa enseguida. Remuévala bien antes de repartirla para mezclar el miso, que se posa con rapidez en el fondo.

SALTEADO DE HORTALIZAS CON MISO Y JENGIBRE

PARA 2 PERSONAS

1 cucharadita de pasta de miso y 1 cucharada de concentrado de tomate (jitomate)

1 trozo de jengibre de 2,5 cm/1 in pelado y 3 cucharadas de aceite vegetal

1 pimiento (ají) verde y 1 rojo, sin las semillas

¼ de col (repollo) sin el troncho y en juliana, y 1 zanahoria

1 guindilla (chile) roja sin las semillas y 6 cebolletas (cebollas tiernas), picadas

50 g/⅓ de taza de cada de habas tiernas de soja (edamame) y anacardos

arroz blanco, para acompañar

PREPARACIÓN

1 Para preparar la salsa, disuelva el miso en 2 cucharadas de agua hirviendo. Mezcle en un cuenco el miso caliente y el concentrado de tomate. Ralle grueso el jengibre, júntelo y estrújelo con las manos sobre el cuenco para recoger el jugo.

2 Caliente el aceite a fuego fuerte en un wok grande. Saltee 5 minutos el pimiento en tiras finas, la col, la zanahoria en rodajitas, la guindilla, la cebolleta, la soja y los anacardos troceados.

3 Incorpore la salsa de miso y jengibre y prosiga con la cocción 1 minuto más.

4 Sírvalo enseguida con arroz.

SALTEADO DE BUEY Y MISO

PARA 3 PERSONAS

2 filetes de cuarto trasero de buey (vaca), de 450 g/ 1 libra en total

8 cucharadas de glaseado de miso comprado

4 cucharadas de aceite de cacahuete (maní)

2 chalotes (echalotes) picados

1 diente grande de ajo picado

1 trozo de jengibre de 2,5 cm/1 in picado

2 zanahorias en rodajitas

½ col (repollo) puntiaguda verde, partida por la mitad a lo largo, sin el troncho, y con las hojas cortada en tiras al bies

3 cucharadas de caldo de pollo

150 g/5½ oz de setas (hongos) enoki sin el pie

2 cucharadas de semillas de sésamo

1 puñadito de hojas de cilantro troceadas

PREPARACIÓN

1. Ponga la carne entre dos trozos de film transparente y aplánela con una maza hasta que tengan 2,5 cm (¼ in) de grosor. Córtela en tiras de 5 x 2,5 cm (2 x 1 in). Páselas a un plato llano y vierta por encima el glaseado de miso. Cúbralo y déjelo adobar en el frigorífico toda la noche.

2. Escurra el buey reservando el adobo.

3. Caliente un wok a fuego fuerte. Vierta la mitad del aceite y caliéntelo hasta que esté reluciente. Saltee la carne 3 minutos, hasta que se dore. Retírela de la sartén y resérvela caliente.

4. Limpie el wok con papel de cocina. Caliéntelo a temperatura moderada, vierta el aceite restante y caliéntelo. Saltee el chalote 2 minutos, añada el ajo y el jengibre, y cuézalo 15 segundos.

5. Incorpore la zanahoria y la col. Suba el fuego a medio-alto y vierta el caldo y el adobo reservado. Saltéelo 3 minutos o hasta que las hortalizas estén tiernas. Trocee las setas, échelas en el wok y saltéelo 30 segundos más.

6. Devuelva la carne al wok y saltéelo 1 minuto, o hasta que esté bien caliente. Esparza el sésamo y el cilantro por encima y sírvalo enseguida.

ESPECIAS Y CONDIMENTOS

42

MIEL

La miel sin pasteurizar es uno de los productos antibacterianos más antiguos que se conocen. Aplicada por vía tópica posee un efecto antiséptico y antibacteriano.

La miel se forma cuando la saliva de las abejas entra en contacto con el néctar que liban de las flores, por ello las distintas variedades revelan el sabor de las flores en las que han estado con más frecuencia. Si está sin pasteurizar contiene una serie de antioxidantes como crisina y vitamina C, que se destruyen al calentarla o manipularla en exceso. La miel de manuka de Nueva Zelanda es la única variedad cuya capacidad para destruir bacterias perjudiciales se ha demostrado científicamente, y se comercializa por lotes catalogados según la eficacia. Es dos veces más eficaz que otros tipos de miel frente a las bacterias *E. coli* y *Staphylococcus,* que suelen infectar las heridas.

- La miel sin pasteurizar contiene própolis, que mitiga la inflamación y el envejecimiento prematuro.
- La miel de buena calidad contiene lactobacilos y bifidobacterias, dos tipos de bacterias beneficiosas que refuerzan el sistema inmunológico.
- Aplicada por vía tópica, la miel cura manchas, quemaduras, cortes e irritaciones.

Consejos prácticos:

Elija miel de buena calidad, si es posible una variedad sin pasteurizar. La miel más oscura, como la de alforfón y salvia, contiene más antioxidantes, mientras que la de flores estivales es más rica en bacterias beneficiosas.

VALOR NUTRICIONAL DE
1 CUCHARADA DE MIEL

Calorías	**45,5**
Grasas	**0 g**
Proteínas	**0,04 g**
Hidratos de carbono	**12,36 g**
Fibra	**0,03 g**

¿SABÍA QUE...?

Mezclada con agua, la miel forma peróxido de hidrógeno, un antiséptico que puede aplicarse directamente en las heridas para secarlas y evitar que se infecten mientras se curan.

MAGDALENAS DE MIEL Y LIMÓN

PARA 12 UNIDADES

125 g/1 taza de harina sin gluten

90 g/¾ de taza y 2 cucharadas de harina de maíz (elote)

50 g/¼ de taza de azúcar

2 cucharaditas de levadura en polvo sin gluten

½ cucharadita de goma xantana

1 huevo

el zumo (jugo) y la ralladura de ½ limón

60 ml/¼ de taza de aceite vegetal

1 taza de leche

2 cucharadas de miel y 1 de glicerina

PREPARACIÓN

1. Precaliente el horno a 180 °C (350 °F) y forre un molde múltiple para 12 magdalenas con moldes de papel.

2. Mezcle en un bol la harina sin gluten, la de maíz, el azúcar, la levadura y la xantana.

3. Mezcle en otro bol los ingredientes restantes. Mezcle con suavidad los ingredientes de ambos boles.

4. Reparta la pasta entre los moldes de papel y hornee las magdalenas en el horno precalentado de 18 a 20 minutos, hasta que suban y se doren. Sáquelas del horno y déjelas enfriar en una rejilla metálica.

HELADO DE PISTACHO Y MIEL

PARA 10 PERSONAS

6 yemas de huevo

2 cucharaditas de maicena

80 ml/⅓ de taza de miel

480 ml/2 tazas de leche

240 ml/1 taza de yogur griego

2 cucharaditas de agua de rosas (opcional)

75 g/½ taza de pistachos troceados

higos escalfados, para servir

PREPARACIÓN

1 Ponga en un bol grande las yemas de huevo, la maicena y la miel. Caliente la leche en una cazuela mediana de base gruesa, llévela a ebullición e incorpórela poco a poco a las yemas. Cuele la crema sobre la cazuela y cuézala a fuego bajo, removiendo, hasta que se espese y esté homogénea. Pásela a un bol limpio, cúbrala con film transparente y deje que se enfríe.

2 A continuación, incorpore el yogur y el agua de rosas, si lo desea. Pase la crema a una heladora enfriada y póngala en marcha de 15 a 20 minutos, hasta que esté espesa y cremosa. Incorpore los pistachos y accione de nuevo la heladora hasta que adquiera una consistencia moldeable. Si no dispone de heladora, vierta la crema en un molde antiadherente y déjela en el congelador 3 o 4 horas, hasta que esté medio congelada. Bátala en el robot de cocina, incorpore los pistachos y vuelva a congelarla 3 horas más, o hasta que adquiera consistencia.

3 Cuando vaya a servir el postre, saque el helado del congelador y deje que se ablande de 5 a 10 minutos a temperatura ambiente. Reparta bolas de helado en platos de postre con un higo partido por la mitad. Sírvalo enseguida.

PASTA Y POLLO CON MIEL Y MOSTAZA

PARA 4 PERSONAS

225 g/8 oz de espirales

2 cucharadas de aceite de oliva

1 cebolla en rodajitas

1 diente de ajo majado

4 pechugas de pollo de 115 g/4 oz, sin el hueso ni la piel y en filetes finos

2 cucharadas de mostaza a la antigua

2 cucharadas de miel

10 tomates (jitomates) cherry partidos por la mitad

1 manojo de mostaza japonesa o de rúcula

hojas de tomillo fresco, para adornar

ALIÑO

3 cucharadas de aceite de oliva

1 cucharada de vinagre de jerez

2 cucharaditas de miel

1 cucharada de hojas de tomillo fresco

sal y pimienta

PREPARACIÓN

1   Para preparar el aliño, ponga todos los ingredientes en un cuenco, añada sal y pimienta al gusto y mézclelo bien.

2   Ponga a hervir agua con sal en una olla grande. Eche la pasta y, contando desde que vuelva a romper el hervor, cuézala al dente siguiendo las indicaciones del envase.

3   Mientras tanto, caliente el aceite en una sartén grande y sofría la cebolla y el ajo 5 minutos. Añada el pollo y cuézalo, removiendo con frecuencia, 3 o 4 minutos. Incorpore la mostaza y la miel, y sofríalo 2 o 3 minutos más, hasta que el pollo y la cebolla estén dorados. Prosiga con la cocción hasta que el pollo esté hecho y, al cortarlo con un cuchillo, no esté rosado.

4   Escurra la pasta y pásela a una ensaladera. Aderécela con el aliño y remueva. Agregue el pollo y la cebolla, mézclelo bien y déjelo enfriar.

5   Con suavidad, incorpore los tomates y la mostaza japonesa a la ensalada. Sírvala adornada con hojas de tomillo fresco.

43

CANELA

La canela es una especia antiinflamatoria y antibacteriana que alivia la hinchazón y el ardor de estómago y previene apoplejías.

Calorías	18
Grasas	trazas
Proteínas	trazas
Hidratos de carbono	5,5 g
Fibra	3,7 g
Ácido fólico	287 mcg
Potasio	34 mg
Calcio	84 mg
Hierro	2,6 mg

La canela contiene varios aceites y compuestos beneficiosos, como cinamaldehído, cinamil acetato y cinamil alcohol. El cinamaldehído tiene propiedades anticoagulantes, que previenen apoplejías, y antiinflamatorias, que alivian los síntomas de la artritis y el asma. También es digestiva, ya que alivia la hinchazón y la flatulencia y calma el ardor de estómago. La acción antibacteriana de la canela neutraliza los hongos, la candidiasis y los parásitos que contaminan la comida. Un estudio demostró que la canela podía reducir los niveles de glucosa y colesterol en sangre.

• Combate la indigestión y la hinchazón.
• Acción antibacteriana y antifúngica.
• Previene la formación de coágulos.
• Podría reducir los niveles de glucosa y colesterol en sangre.

Consejos prácticos:

La canela auténtica se obtiene de la corteza interna de un árbol caduco de la familia del laurel nativo de Sri Lanka, mientras que la canela de cassia es otra variedad originaria de China. Ambas se venden por igual, pero no siempre es posible averiguar su procedencia. Las ramas de canela enteras conservan el aroma y el sabor hasta un año, mientras que la especia secada y molida dura unos 6 meses. Añádala en ramas enteras o partidas o bien molida para condimentar platos dulces y salados.

PASTEL DE NUECES A LA CANELA

PARA 10 PERSONAS

180 g/1 taza de azúcar moreno claro y 250 g/2 tazas de harina

2 cucharaditas de canela molida y 1 de bicarbonato, y 3 huevos

240 ml/1 taza de aceite de girasol, y un poco más para engrasar

150 g/1 taza de nueces picadas

1 plátano (banana) grande maduro chafado

nueces en mitades, para adornar

COBERTURA

180 ml/¾ de taza de queso cremoso, 230 g/2 barras de mantequilla sin sal, 1 cucharadita de canela molida y 175 g/ 1¾ tazas de azúcar glas (impalpable)

PREPARACIÓN

1   Precaliente el horno a 180 °C (350 °F). Engrase 3 moldes para tarta de 20 cm (8 in) de diámetro y fórrelos con papel vegetal.

2   Ponga el azúcar en un bol y tamice la harina, la canela y el bicarbonato. Añada el huevo batido, el aceite, las nueces y el plátano, y bátalo con una cuchara de madera.

3   Reparta la pasta resultante entre los 3 moldes y alísela. Cueza las bases de bizcocho en el horno precalentado de 20 a 25 minutos, o hasta que se doren bien y estén consistentes al tacto. Déjelas reposar 10 minutos y, después, vuélquelas en una rejilla metálica para que se enfríen del todo.

4   Para hacer la cobertura, mezcle el queso con la mantequilla y la canela en un bol, y bátalo hasta obtener una crema homogénea. Agregue el azúcar y remueva hasta que esté bien incorporado.

5   Junte las tres bases de bizcocho con un tercio de la cobertura, y extienda el resto por encima y por los lados del pastel. Adorne la tarta con las nueces en mitades.

CARACOLAS DE CAFÉ Y CANELA

PARA 9 UNIDADES

400 g/3¼ tazas de harina

¼ de cucharadita de sal y 1½ de levadura seca de panadería

50 g/¼ de taza de azúcar

4 cucharadas de mantequilla derretida y 1 huevo batido

240 ml/1 taza de leche templada y aceite

3 cucharadas de mantequilla ablandada

45 g/¼ de taza de azúcar moreno oscuro

1½ cucharaditas de café soluble y 1 de canela molida

100 g/1 taza de azúcar glas disuelta en 1 cucharada de agua, para adornar

PREPARACIÓN

1   Tamice la harina y la sal sobre un bol grande. Incorpore la levadura y el azúcar y haga un hueco en el centro. Bata la mantequilla con el huevo y la leche, viértalo en el hueco y mézclelo todo hasta obtener una masa fina. Pásela a la encimera enharinada y trabájela 5 o 6 minutos, hasta que esté suave y elástica. Póngala en un bol, tápela con film engrasado y déjela leudar en un lugar cálido 1½ horas, o hasta que doble su volumen. Engrase un molde para tarta de 23 cm (9 in) de diámetro.

2   Trabaje la masa en la encimera enharinada 1 minuto más. Extiéndala en un cuadrado de 30 cm (12 in) y distribuya la mantequilla por encima. Mezcle el azúcar con el café y la canela, y repártalo uniformemente sobre la mantequilla. Enrolle la masa, córtela en 9 rodajas y colóquelas en el molde con el lado cortado hacia arriba. Tápelas holgadamente con film engrasado y déjelas reposar entre 40 y 50 minutos, hasta que hayan doblado su volumen. Precaliente el horno a 200 °C (400 °F).

3   Cueza las caracolas en el horno de 18 a 20 minutos, o hasta que suban y se doren. Vuélquelas en una rejilla metálica para que se enfríen del todo. Rocíe las caracolas con el glaseado, déjelas reposar y desmóldelas para servirlas.

ARROZ CON LECHE CON CIRUELAS A LA CANELA

PARA 4 PERSONAS

95 g/½ taza de arroz de grano corto

2 cucharadas de azúcar

1 cucharada de mantequilla sin sal

480 ml/2 tazas de leche

1 tira fina de piel (cáscara) de naranja

tiras finas de piel (cáscara) de naranja, para adornar

COMPOTA

8 ciruelas rojas partidas por la mitad y deshuesadas (descarozadas)

1 rama de canela

2 cucharadas de azúcar

el zumo (jugo) de 1 naranja

PREPARACIÓN

1 Ponga el arroz, el azúcar y la mantequilla en una cazuela y añada la leche y la piel de naranja. Caliéntelo a fuego medio hasta que casi llegue a hervir.

2 Llévelo a ebullición sin dejar de remover y déjelo a fuego lento, tapado, entre 40 y 45 minutos o hasta que el arroz esté tierno y haya absorbido casi todo el líquido.

3 Mientras tanto, para preparar la compota, ponga las ciruelas, la canela, el azúcar y el zumo de naranja en una cazuela grande. Llévelo a ebullición, baje el fuego, tape la cazuela y déjelo a fuego suave 10 minutos o hasta que las ciruelas estén tiernas.

4 Retire las ciruelas con una espumadera y deseche la canela. Sirva el arroz con leche con la compota y adornado con las tiritas de piel de naranja.

44

TÉ VERDE

Hace mucho tiempo que chinos y japoneses conocen las propiedades saludables del té verde, que consideran imprescindible para el corazón, la vitalidad y la piel.

Las hojas de la planta *Camellia sinensis* están cargadas de catequinas, que ejercen una acción antioxidante, antibacteriana y antiviral, por tanto previenen el cáncer y ayudan a reducir el colesterol y a diluir la sangre. Uno de estos compuestos, la epicatequina galato, penetra en las células y protege el valioso ADN con el que el organismo multiplica las células y combate el daño provocado por el envejecimiento. Esta sustancia también previene la formación de células cancerígenas y bloquea la respuesta del cuerpo para neutralizar la severidad de las alergias.

- Ayuda a perder peso gracias a su acción quemagrasas y a que regula los niveles de glucosa e insulina.
- Contiene quercetina, un bioflavonoide que reduce la inflamación y controla las alergias alimentarias.
- Las catequinas favorecen la depuración del hígado, por lo que ayudan a eliminar las toxinas dañinas y mantienen la piel luminosa.

Consejos prácticos:
Si sustituye el té negro o el café por té verde reducirá la ingesta de cafeína y evitará el envejecimiento prematuro. El té verde son las hojas secas de la planta del té, mientras que el negro se deja fermentar. Por efecto de la fermentación, el té negro concentra mucha más teína, unos 50 mg por taza comparados con los 5 mg del verde. La intensidad y el sabor dependen de la variedad, por lo que merece la pena probar algunas para decidir cuál le gusta más.

VALOR NUTRICIONAL DE 240 ML/1 TAZA DE TÉ VERDE

Calorías	2
Grasas	0 g
Proteínas	0 g
Hidratos de carbono	trazas
Fibra	0 g
Catequinas	3,75 g

BATIDO DE TÉ VERDE Y CIRUELA

PARA 2 PERSONAS

1 bolsita de té verde

300 ml/1¼ tazas de agua hirviendo

1 cucharadita de miel de buena calidad, o al gusto (opcional)

2 ciruelas amarillas maduras partidas por la mitad y deshuesadas (descarozadas)

PREPARACIÓN

1 Ponga la bolsita de té en una tetera o una jarrita refractaria y vierta el agua hirviendo. Déjela 7 minutos en infusión. Retire la bolsita y deséchela. Déjelo enfriar por completo y refrigérelo.

2 Vierta el té frío en el robot de cocina o la batidora. Añada la miel (si lo desea) y las ciruelas, y tritúrelo hasta que quede homogéneo.

3 Sírvalo enseguida.

HELADO DE TÉ VERDE Y AVELLANA

PARA 6 PERSONAS

420 ml/1¾ tazas de leche de coco

200 g/2½ tazas de coco recién rallado

200 g/1 taza de azúcar

1 cucharada de té verde (matcha) soluble

75 g/½ taza de avellanas tostadas picadas

PREPARACIÓN

1 Caliente en una cazuela la leche de coco y el coco rallado y mézclelos bien.

2 Incorpore el azúcar y el té verde y caliéntelo hasta que el azúcar se haya disuelto. Incorpore la avellana y deje enfriar la crema a temperatura ambiente.

3 Pásela a una heladora y bátala siguiendo las instrucciones del fabricante. Si lo prefiere, vierta la crema enfriada en un recipiente llano para congelar y métalo en el congelador. Cuando el helado se haya endurecido casi del todo, remuévalo y congélelo de nuevo hasta que esté consistente. Déjelo en el congelador hasta que vaya a servirlo.

CUPCAKES DE TÉ VERDE Y GRANADA

PARA 12 UNIDADES

180 g/1½ tazas de harina

1½ cucharaditas de levadura en polvo

1 cucharada de té verde (matcha) soluble

¼ de cucharadita de sal

115 g/1 barra de mantequilla sin sal ablandada

200 g/1 taza de azúcar

1 cucharadita de esencia de vainilla

2 huevos

120 ml/½ taza de jarabe de granada

60 ml/4 cucharadas de leche

COBERTURA

115 g/1 barra de mantequilla sin sal ablandada

150-200 g/1½-2 tazas de azúcar glas (impalpable)

40 g/¼ de taza de granos de granada, para adornar

PREPARACIÓN

1   Precaliente el horno a 180 °C (350 °F) y forre un molde múltiple para 12 magdalenas con moldes de papel.

2   Tamice en un bol la harina con la levadura, el té verde y la sal. Bata la mantequilla con el azúcar en otro bol hasta obtener una crema blanquecina y espumosa. Agregue la vainilla y los huevos. Añada la mitad de la harina, 4 cucharadas (¼ de taza) del jarabe de granada y la leche, y bátalo hasta que los ingredientes estén mezclados. Incorpore la harina restante.

3   Vierta la pasta en los moldes y cueza los cupcakes en el horno precalentado 20 minutos, o hasta que al pincharlos en el centro con una brocheta, salga limpia. Déjelos reposar 2 minutos y, después, páselos a una rejilla metálica para que se enfríen.

4   Para hacer la cobertura, bata en otro bol con las varillas eléctricas la mantequilla con 185 g (1½ tazas) del azúcar glas y el sirope restante. Añada el azúcar glas restante hasta que la cobertura adquiera consistencia para poder repartirla con la manga pastelera. Introduzca la cobertura en una manga con boquilla de estrella y repártala en remolino sobre los cupcakes. Adórnelos con los granos de granada y sírvalos.

45

VINO TINTO

El vino tinto es un ingrediente importante de la dieta mediterránea, conocida porque retrasa el envejecimiento. Tomado con moderación ofrece excelentes propiedades cardiosaludables.

La potente acción antioxidante del vino tinto procede de una sustancia llamada resveratrol, que el hollejo de las uvas negras concentra más que cualquier otro alimento. Se trata de una sustancia tan prodigiosa que basta con tomar vino tinto habitualmente con moderación —menos de 150 ml (5 fl oz) diarias— para que las plaquetas pierdan adherencia y los vasos sanguíneos no se obstruyan y se mantengan flexibles. Esto influye positivamente en casos de hipertensión y, por tanto, previene cardiopatías. Se estima que el consumo de vino tinto aumentaría un año de esperanza de vida, sobre todo si se toma en las comidas en el marco de una dieta saludable.

- El resveratrol es muy efectivo en la prevención de enfermedades.
- También es un potente antiinflamatorio que garantiza una piel saludable y unas articulaciones sanas.
- El cabernet sauvignon en concreto mejoraría la falta de memoria propia del alzhéimer.

Consejos prácticos:

Si el consumo diario supera un vaso en el caso de las mujeres y dos vasos en el de los hombres, el vino pierde sus propiedades beneficiosas. La calidad también es clave: cuanto más intenso sea el color, más antioxidantes tendrá. Las mayores concentraciones se encuentran en las uvas merlot, cabernet sauvignon y sangiovese. Los vinos de La Rioja y los pinot noir ofrecen cantidades moderadas de antioxidantes, y los de la denominación francesa Côtes du Rhône son los más pobres.

VALOR NUTRICIONAL DE 120 ML / ½ TAZA DE VINO TINTO

Calorías	95
Grasas	0 g
Proteínas	0,07 g
Hidratos de carbono	2,87 g
Fibra	trazas
Vitamina C	trazas
Potasio	trazas
Licopeno	trazas
Luteína/Zeaxantina	145,6 mg

¿SABÍA QUE…?

Sorber el vino tinto lentamente aumenta el nivel de resveratrol en sangre unas 100 veces porque se absorbe mucho mejor a través de la boca que del tracto digestivo.

COL BRASEADA AL VINO TINTO

PARA 6 PERSONAS

2 cucharadas de mantequilla

1 diente de ajo picado

1 col lombarda (repollo morado) pequeña en tiras

165 g/1 taza de pasas sultanas

1 cucharada de miel de buena calidad

120 ml/½ taza de vino tinto

120 ml/½ taza de agua

PREPARACIÓN

1 Derrita la mantequilla en una olla grande a fuego medio. Sofría el ajo, removiendo, 1 minuto, hasta que se ablande un poco.

2 Añada la col y las pasas y, a continuación, incorpore la miel. Prosiga con la cocción 1 minutos más.

3 Vierta el vino y el agua y llévelo a ebullición. Baje el fuego, tape la olla y cueza la col a fuego suave, removiendo de vez en cuando, 45 minutos o hasta que esté hecha. Sírvala caliente.

BUEY AL VINO TINTO CON ARÁNDANOS ROJOS

PARA 4 PERSONAS

2 cucharadas de aceite de oliva

6 chalotes (echalotes) en cuartos

560 g/1¼ libras de aguja de buey (vaca) en dados

1 cucharada de harina

300 ml/1¼ tazas de vino tinto y 2 cucharadas de concentrado de tomate (jitomate)

1 cucharada de salsa Worcestershire y 2 hojas de laurel

150 g/1 taza de arándanos rojos frescos o congelados, sal, pimienta, y puré de patata (papa) y hortalizas para acompañar

PREPARACIÓN

1   Caliente el aceite en una cazuela grande que pueda ir al horno y saltee el chalote 2 o 3 minutos, hasta que empiece a dorarse. Retírelo de la cazuela y resérvelo caliente.

2   Rehogue bien la carne, removiendo a menudo, 3 o 4 minutos, o hasta que empiece a tomar color. Eche la harina y rehóguela durante 1 minuto.

3   Vierta el vino y déjelo hervir 1 minuto. Devuelva el chalote a la cazuela y añada el concentrado de tomate, la salsa Worcestershire, el laurel, sal y pimienta y, después, los arándanos.

4   Baje el fuego al mínimo, tape la cazuela y déjelo cocer entre 1 y 1½ horas, hasta que el buey esté tierno.

5   Retire y deseche el laurel, rectifique la sazón y sírvalo con puré de patata y hortalizas de la temporada.

SORBETE DE VINO TINTO

PARA 6 UNIDADES

1 naranja

1 limón

600 ml/2½ tazas de vino tinto
afrutado

90 g/½ taza de azúcar moreno
claro

300 ml/1¼ tazas de agua
bien fría

2 claras de huevo
un poco batidas

grosellas, arándanos, cerezas
y frambuesas, para servir

PREPARACIÓN

1 Con un pelapatatas, corte tiras de piel de naranja y limón,
procurando no llegar a la membrana blanca. Póngalas en
una cazuela con el vino y el azúcar y caliéntelo a fuego
lento, removiendo, hasta que se disuelva el azúcar. Llévelo
a ebullición y luego cuézalo a fuego lento otros 5 minutos.
Apártelo del fuego e incorpore el agua.

2 Exprima la naranja y el limón e incorpore el zumo al vino.
Tape la cazuela, déjelo enfriar del todo y cuélelo en un
recipiente apto para el congelador. Tápelo y congélelo
7 u 8 horas, o hasta que se endurezca.

3 Trabajando deprisa, trocee el sorbete y páselo al robot de
cocina. Bátalo unos segundos para romper los cristales de
hielo y, con el robot en marcha, incorpore las claras poco a
poco a través del alimentador. El sorbete adquirirá un tono
más blanquecino. Siga batiéndolo hasta que quede homogéneo.

4 Congélelo 3 o 4 horas más, o hasta que se endurezca. Repártalo
entre 6 boles enfriados y sírvalo enseguida con grosellas,
arándanos, cerezas y frambuesas.

46

CHOCOLATE NEGRO

Nuestro idilio con el chocolate está arraigado en sus propiedades saludables. El cacao es muy rico en nutrientes, compuestos que levantan el ánimo y antioxidantes.

El cacao, el fruto del que se obtiene el chocolate, es muy nutritivo puesto que contiene sustancias rejuvenecedoras como potasio, magnesio, vitaminas B3 y B5, cinc y selenio. Sin embargo, su verdadero potencial reside en los antioxidantes. El chocolate contiene cuatro veces más catequinas que el té verde y el doble que el vino tinto. Estas sustancias reducen la incidencia de infartos y cáncer al reducir la inflamación y favorecer la renovación de los vasos sanguíneos, la piel y los huesos. A corto plazo, el chocolate negro libera endorfinas, las «hormonas de la felicidad».

VALOR NUTRICIONAL DE 100 G/3½ OZ DE CHOCOLATE NEGRO (70-85 % DE CACAO)

Calorías	598
Grasas	42,63 g
Ácidos grasos omega-9	12 652 mg
Proteínas	7,79 g
Hidratos de carbono	45,9 g
Fibra	10,9 g
Vitamina B3	1,05 mg
Vitamina B5	0,42 mg
Magnesio	228 mg
Potasio	716 mg
Fósforo	308 mg
Hierro	11,9 mg
Manganeso	1,95 mg
Selenio	6.8 mcg
Cinc	3,31 mg
Cafeína	75,6 mg
Teobromina	448,8 mg

• La cafeína y la teobromina aumentan la vitalidad y, en moderación, equilibran la glucosa en sangre.
• Contiene grasas monoinsaturadas saludables, que mantienen el corazón joven y fuerte.

Consejos prácticos:

Las propiedades saludables solo se atribuyen al chocolate negro de buena calidad; la leche y el azúcar del chocolate con leche las anulan. El chocolate negro elaborado al menos con un 70 % de cacao aumenta el nivel de antioxidantes. Tenga en cuenta que el chocolate contiene cafeína, y que una chocolatina contiene una cantidad de cafeína equivalente al tercio de una taza de café.

MOLE

PARA 6-8 PERSONAS

9 guindillas (chiles) variadas remojadas en agua caliente 30 minutos

1 cebolla y 2-3 dientes de ajo

70 g/½ taza de semillas de sésamo y 60 g/¾ de taza de almendra fileteada tostada

1 cucharadita de cilantro molido, 4 clavos, 2-3 cucharadas de aceite de oliva y 360 ml/ 1½ tazas de caldo de pollo

4 tomates (jitomates) picados y 2 cucharaditas de canela molida

55 g/⅓ de taza de pasas y 75 g/¾ de taza de semillas de calabaza (zapallo anco)

55 g/2 oz de chocolate negro y 1 cucharada de vinagre de vino tinto

PREPARACIÓN

1 Triture las guindillas en la batidora con la cebolla en rodajas, el ajo majado, el sésamo, la almendra, el cilantro y los clavos hasta obtener una pasta espesa.

2 Caliente el aceite en una cazuela y rehogue la pasta 5 minutos. Añada el caldo, el tomate, la canela, las pasas y las semillas de calabaza. Llévelo a ebullición, baje el fuego y déjelo a fuego suave, removiendo de vez en cuando, 15 minutos.

3 Trocee el chocolate y échelo en el cazo con el vinagre. Cueza la salsa 5 minutos a fuego lento y sírvala como desee. Normalmente se sirve con platos de aves.

BRAZO DE GITANO DE CHOCOLATE NEGRO

PARA 6-8 PERSONAS

mantequilla,
para engrasar

170 g/6 oz de chocolate
negro troceado

4 huevos grandes, yemas
y claras separadas

100 g/½ taza de azúcar

cacao en polvo sin
edulcorar tamizado,
para espolvorear

225 g/8 oz de chocolate
blanco troceado

240 ml/1 taza de
mascarpone o de nata
(crema) extragrasa

salsa de frambuesa,
para servir

PREPARACIÓN

1   Precaliente el horno a 180 °C (350 °F). Engrase un molde bajo
rectangular de 30 x 20 cm (13 x 9 in) y fórrelo con papel vegetal.

2   Ponga el chocolate negro en un bol refractario encajado en la boca
de un cazo con agua hirviendo a fuego lento, sin que llegue a tocarla.
Apártelo del fuego y deje que se enfríe un poco.

3   Bata las yemas con el azúcar en un bol hasta obtener una crema
blanquecina y espesa. En un bol bien limpio, monte las claras a punto
de nieve. Mezcle el chocolate derretido con la crema de yemas y
después incorpore la nata montada.

4   Pase la pasta al molde. Cuézalo en el horno entre 15 y 20 minutos,
hasta que suba y esté consistente. Espolvoree un trozo de papel vegetal
con cacao. Vuelque el bizcocho en el papel, cúbralo con un paño limpio
y déjelo enfriar.

5   Derrita el chocolate blanco en un bol refractario encajado en la boca
de un cazo con agua hirviendo a fuego lento, sin que la toque. Apártelo
del fuego y extiéndalo sobre el glaseado. Incorpore el mascarpone.

6   Retire el paño y el papel vegetal del bizcocho y úntelo con la crema
de chocolate blanco. Ayudándose del papel, enrolle el bizcocho para
encerrar el relleno. Sírvalo con salsa de frambuesa.

GALLETAS DE FRUTOS SECOS CON CHOCOLATE NEGRO

PARA 18 UNIDADES

210 g/1²/₃ tazas de harina,
y un poco más para
espolvorear

½ cucharadita de bicarbonato

115 g/1 barra de mantequilla
sin sal fría y en dados,
y un poco más para untar

120 g/²/₃ de taza de azúcar
moreno claro

2 cucharadas de jarabe
de maíz (elote, choclo)

1 huevo batido

50 g/¹/₃ de taza de avellanas
escaldadas picadas

75 g/½ taza de pacanas
(nueces pecán) picadas

140 g/5 oz de chocolate negro
troceado

PREPARACIÓN

1   Precaliente el horno a 190 °C (375 °F) y unte 2 bandejas
con un poco de mantequilla.

2   Tamice la harina y el bicarbonato en un bol grande. Luego
incorpore la mantequilla con los dedos hasta que adquiera
una consistencia como de migas de pan. Agregue el azúcar,
el jarabe de maíz, el huevo y dos tercios de la avellana y
de las pacanas picadas, y mézclelo bien.

3   Disponga en las bandejas cucharadas colmadas de la pasta,
bien espaciadas. Aplánelas un poco con el dorso de la cuchara
y esparza el resto de la avellana y de las pacanas por encima.

4   Cueza las galletas en el horno de 7 a 9 minutos, o hasta que se
doren. Déjelas enfriar en las bandejas 5 minutos y, después,
páselas a una rejilla metálica para que se enfríen del todo.

5   Derrita el chocolate en un bol refractario encajado en la boca
de un cazo con agua hirviendo a fuego lento, sin que llegue
a tocarla. Moje las galletas en el chocolate hasta la mitad y
déjelas en una rejilla metálica hasta que se sequen.

FRUTOS SECOS
Y ACEITES

NUECES

Los nutrientes de las nueces, conocidas por su riqueza en ácidos grasos omega-3, previenen cardiopatías, cáncer, artritis y afecciones cutáneas leves.

Al contrario que la mayoría de los frutos secos, las nueces son mucho más ricas en grasas poliinsaturadas que monoinsaturadas. Las grasas poliinsaturadas de las nueces son básicamente ácidos grasos omega-3 en forma de ácido alfa-linolénico: una sola ración supera las necesidades diarias recomendadas. El consumo adecuado y equilibrado de ácidos grasos omega se ha relacionado con la prevención de cardiopatías, cáncer, artritis, afecciones cutáneas y enfermedades del sistema nervioso. Las personas que no toman pescado ni aceites de pescado deberían obtener ácidos grasos omega-3 de otras fuentes, como las nueces, la linaza y la soja.

- Buena fuente de fibra y vitaminas del grupo B.
- Ricas en ácidos grasos omega-3 y antioxidantes.
- Buena fuente de varios minerales importantes.
- Pueden reducir el colesterol malo y la tensión arterial, así como aumentar la elasticidad de las arterias.

Consejos prácticos:

Al ser ricas en grasas poliinsaturadas, las nueces se enrancian enseguida. Cómprelas con cáscara, consérvelas en el refrigerador y consúmalas enseguida. No las compre picadas a no ser que vaya a utilizarlas enseguida, ya que se oxidan rápidamente. Es mejor comérselas crudas como aperitivo, pero también pueden añadirse a panes y pasteles.

VALOR NUTRICIONAL DE 35 G/¼ DE TAZA DE NUECES

Calorías	196
Grasas	19,5 g
Proteínas	4,5 g
Hidratos de carbono	4 g
Fibra	2 g
Niacina	0,3 mg
Vitamina B6	0,16 mg
Calcio	29 mg
Potasio	132 mg
Magnesio	47 mg
Hierro	0,9 mg
Cinc	0,9 mg

PAN DE NUECES Y SEMILLAS

PARA 2 PANES GRANDES

450 g/3¾ tazas de harina integral

400 g/3⅓ tazas de harina, y un poco más para espolvorear

2 cucharadas de cada de semillas de sésamo, semillas de girasol y semillas de amapola

150 g/1 taza de nueces picadas

2 cucharaditas de sal

2 cucharaditas de levadura seca de panadería

2 cucharadas de aceite de oliva o nuez

720 ml/3 tazas de agua templada

1 cucharada de mantequilla derretida o aceite, para engrasar

PREPARACIÓN

1   Mezcle las dos harinas con las semillas y las nueces, la sal y la levadura en un bol grande. Añada el aceite y el agua y trabaje los ingredientes hasta obtener una masa blanda. Vuélquela en la encimera espolvoreada con un poco de harina y trabájela de 5 a 7 minutos, o hasta que quede homogénea y elástica.

2   Póngala en el bol, tápela con un paño húmedo y déjela leudar en un lugar cálido de 1 a 1½ horas, hasta que doble su volumen. Vuélquela en la encimera enharinada y trabájela 1 minuto más.

3   Unte 2 moldes para pan de 23 cm (9 in) de longitud con la mantequilla. Divida la masa en dos. Dele forma a una porción para que tenga la longitud del molde y tres veces su anchura. Doble la masa en tres a lo largo y colóquela en el molde con el doblez hacia abajo. Repita la operación con la otra porción. Tape los panes y déjelos en un lugar cálido 30 minutos, hasta que suban.

4   Mientras tanto, precaliente el horno a 230 °C (450 °F). Hornee los panes en el centro del horno precalentado de 25 a 30 minutos, o hasta que se doren. Déjelos enfriar en una rejilla metálica.

ENSALADA DE ESPINACAS, PERA Y NUECES

PARA 2 PERSONAS

90 g/3 tazas de espinacas tiernas

2 peras en cuartos sin el corazón y en rodajitas

3 cucharadas de nueces picadas

60 g/½ taza de queso azul suave desmenuzado, para servir

ALIÑO

1 cucharada de aceite de oliva virgen extra

2 cucharadas de vinagre (aceto) balsámico

sal y pimienta, al gusto

PREPARACIÓN

1   Para preparar el aliño, mezcle en un cuenco el aceite y el vinagre. Salpimiente y mézclelo bien.

2   Ponga las espinacas en una ensaladera y aderécelas con aliño suficiente para que se impregnen un poco. Agregue la pera y las nueces y remueva para mezclarlo. Vierta el aliño restante, al gusto. Sirva la ensalada con el queso esparcido por encima.

TARTA DE CALABAZA Y NUECES

PARA 12 PERSONAS

170 g/1½ barras de mantequilla, y un poco más para untar

135 g/¾ de taza de azúcar moreno claro

3 huevos batidos

425 g/15 oz de puré de calabaza (zapallo anco) en conserva

1 cucharadita de bicarbonato sin gluten

45 ml/3 cucharadas de leche

520 g/4⅓ tazas de harina con levadura

1 cucharadita de goma xantana

½ cucharadita de levadura en polvo

115 g/¾ de taza de nueces picadas

GLASEADO

125 g/1¼ de azúcar glas (impalpable)

la pulpa y el zumo (jugo) de 2 maracuyás

2 cucharaditas de ralladura de lima (limón)

PREPARACIÓN

1 Precaliente el horno a 180 °C (350 °F). Unte con mantequilla un molde desmontable de 20 cm (8 in) de diámetro y fórrelo con papel vegetal.

2 Bata la mantequilla con el azúcar en un bol grande hasta obtener una crema esponjosa. Incorpore los huevos de uno en uno y luego el puré de calabaza.

3 Añada el bicarbonato a la leche y luego échela a la crema de calabaza.

4 Tamice en otro bol la harina con la xantana y la levadura y después incorpórela a la mezcla de calabaza con las nueces.

5 Eche la pasta en el molde y hornéela de 40 a 45 minutos, hasta que al pincharla en el centro con una brocheta, salga limpia.

6 Saque la tarta del horno, déjela enfriar en el molde unos 10 minutos y, después, pásela a una rejilla metálica para que se enfríe del todo.

7 Para preparar el glaseado, tamice el azúcar glas en un cuenco, añada el maracuyá y la ralladura de lima y mézclelo bien. Rocíe la tarta enfriada con el glaseado.

48

NUECES DE BRASIL

Una de las mejores fuentes de selenio, de acción antioxidante, las nueces de Brasil también contienen calcio y magnesio para mantener los huesos fuertes.

VALOR NUTRICIONAL DE 35 G/¼ DE TAZA DE NUECES DE BRASIL

Calorías	197
Grasas	19,9 g
Proteínas	4,3 g
Hidratos de carbono	3,7 g
Fibra	2,3 g
Vitamina E	1,7 mcg
Calcio	48 mg
Potasio	198 mg
Magnesio	113 mg
Cinc	1,2 mg
Selenio	575 mcg

Las nueces de Brasil son muy ricas en grasa, buena parte de la cual es monoinsaturada. También contienen una cantidad razonable de grasa poliinsaturada y abundante ácido linolénico omega-6, una de las grasas esenciales. Cuando se someten a altas temperaturas, estas grasas se oxidan y pierden sus propiedades, por lo que es mejor comerse las nueces crudas. Son muy ricas en selenio y, por término medio, bastan un par de unidades para cubrir las necesidades diarias recomendadas. El selenio es imprescindible para mantener en buen estado los órganos internos, como el hígado, los riñones y el páncreas. Las nueces de Brasil también son ricas en magnesio y calcio.

- Muy ricas en selenio, un mineral que suele faltar en las dietas modernas.
- Ricas en magnesio, que protege el corazón y los huesos.
- Buena fuente de vitamina E, que mantiene la piel joven y acelera los procesos curativos.

Consejos prácticos:
Con cáscara se conservan hasta 6 meses en un lugar frío, seco y oscuro. Si están peladas, refrigérelas y consúmalas en las semanas siguientes porque se enrancian enseguida. Es mejor comerlas crudas.

¿SABÍA QUE…?

Las nueces de Brasil no son en realidad un fruto seco, sino semillas dentro de un fruto duro. Los árboles crecen silvestres en las selvas tropicales del Amazonas de Brasil y raramente se cultivan.

CÓCTEL DE FRUTOS SECOS

PARA 12 PORCIONES

100 g/²/₃ de taza de orejones
de albaricoque (damasco)
picados

75 g/¹/₂ taza de arándanos rojos
secos

90 g/³/₄ de taza de anacardos
tostados

90 g/²/₃ de taza de avellanas
peladas

90 g/²/₃ de taza de nueces de
Brasil peladas y por la mitad

60 g/³/₄ de taza de almendra
fileteada

25 g/¹/₄ de taza de semillas
de calabaza (zapallo anco)
tostadas

30 g/¹/₄ de taza de cada de de
semillas de girasol y piñones
tostados

PREPARACIÓN

1 Ponga todos los ingredientes en un recipiente hermético, ciérrelo y agítelo varias veces.

2 Agite el recipiente cada vez que vaya a servir los frutos secos y, después, ciérrelo bien. Este cóctel se conserva hasta 2 semanas cerrado herméticamente.

PASTEL DE LENTEJAS Y NUECES DE BRASIL

PARA 6 PERSONAS

margarina, para engrasar

200 g/1 taza de lentejas rojas

1 hoja de laurel

2 cucharadas de aceite de oliva

1 cebolla, 2 dientes de ajo y 1 zanahoria, picados

300 g/2 tazas de nueces de Brasil

1 cucharada de concentrado de tomate (jitomate)

1 cucharada de salsa de soja

300 g/3 tazas de pan blanco recién rallado

1 cucharada de orégano

hortalizas al vapor, para servir

PREPARACIÓN

1 Precaliente el horno a 190 °C (375 °F) y engrase un molde para pan de 23 cm (9 in) de longitud.

2 Ponga las lentejas y el laurel en una olla con 360 ml (1½ tazas) de agua. Llévelo a ebullición y cueza las lentejas a fuego suave 25 minutos, o hasta que se deshagan. Retire y deseche el laurel y reserve las lentejas.

3 Caliente el aceite a fuego medio en una sartén grande. Rehogue la cebolla, el ajo y la zanahoria 3 minutos. Trocee una tercera parte de las nueces de Brasil. Muela las restantes en el robot de cocina. Ponga las hortalizas rehogadas en un bol grande con las nueces troceadas y molidas, las lentejas, el concentrado de tomate, la salsa de soja, el pan rallado y el orégano. Mézclelo bien y pase la pasta al molde, presionándola.

4 Hornee el pastel 25 minutos. Déjelo enfriar un poco antes de desmoldarlo y córtelo en lonchas. Sírvalo caliente o frío con hortalizas al vapor.

CRUJIENTE DE CHOCOLATE Y NUECES DE BRASIL

PARA 30 UNIDADES

4 cucharadas de mantequilla o margarina, y un poco más para untar

30 g/¼ de taza de margarina vegetal

135 g/¾ de taza de azúcar moreno

1 huevo

1 cucharadita de esencia de vainilla

1 cucharada de leche

90 g/¾ de taza de harina

90 g/1 taza de copos de avena

1 cucharadita de bicarbonato

1 pizca de sal

160 g/1 taza de pepitas de chocolate negro

75 g/½ taza de nueces de Brasil picadas

PREPARACIÓN

1 Triture en la batidora o el robot de cocina la mantequilla con la margarina, el azúcar, el huevo, la vainilla y la leche al menos 3 minutos, hasta obtener una crema esponjosa.

2 Mezcle la harina con la avena, el bicarbonato y la sal en un bol grande. Incorpore la crema de huevo y luego las pepitas de chocolate y las nueces de Brasil. Remueva bien. Tape el bol con film transparente y refrigérelo 30 minutos, hasta que adquiera consistencia.

3 Mientras tanto, precaliente el horno a 180 °C (350 °F) y engrase una bandeja de horno grande.

4 Disponga de forma espaciada 30 cucharadas de la pasta en la bandeja. Cueza las galletas en el horno 15 minutos, o hasta que se doren bien.

5 Déjelas enfriar en una rejilla metálica antes de servirlas.

49

ACEITE DE COCO

Cocinar con aceite de coco es una manera sencilla de neutralizar la exposición a los radicales libres que se generan al asar y freír los alimentos.

Al cocinar con aceite, el calor afecta negativamente a las moléculas de grasa del mismo, lo que interfiere en la digestión. Los radicales libres que se generan pueden dañar los tejidos y aumentar el riesgo de contraer cáncer, cardiopatías y osteoporosis. De todas las grasas saturadas, el aceite de coco es el menos propenso al daño del calor, la luz y el oxígeno, y puede calentarse a temperaturas de hasta 190 °C (375 °F). El coco contiene un 60 % de triglicéridos de cadena media, aceites de origen vegetal que aceleran el metabolismo y que el cuerpo no almacena en forma de grasa.

• Las grasas del aceite de coco renuevan la flora intestinal, favoreciendo la digestión.
• Se ha demostrado que el consumo habitual favorece la función de la tiroides y regula el metabolismo y el estado anímico.

Consejos prácticos:

El aceite de coco, que se convierte en un líquido claro al calentarse, puede utilizarse con todo tipo de cocciones y no presenta trazas del sabor de la pulpa. Aun así su comportamiento difiere de otros tipos de aceite, por lo que no está de más experimentar un poco. Elija una variedad virgen y evite las que se hayan hidrogenado o que contengan conservantes.

VALOR NUTRICIONAL DE 1 CUCHARADA DE ACEITE DE COCO

Calorías	129
Grasas	15 g
Ácido láurico	6,69 g
Ácido caprílico	1125 g
Ácido mirístico	2,5 g
Ácidos grasos omega-6	270 mg
Ácidos grasos omega-9	870 mg
Proteínas	trazas
Hidratos de carbono	trazas
Fibra	trazas

CURRY VERDE TAILANDÉS

PARA 4 PERSONAS

2 cucharadas de aceite de oliva

2 cucharadas de pasta de curry verde

450 g/1 libra de pechuga de pollo sin hueso ni piel y en dados

2 hojas de lima (limón) kafir troceadas

1 tallo de limoncillo picado

240 ml/1 taza de leche de coco

16 berenjenas baby partidas por la mitad

2 cucharadas de salsa de pescado tailandesa

ramitas de albahaca tailandesa y hojas de lima (limón) kafir en tiras finas, para adornar

PREPARACIÓN

1. Caliente un wok o una sartén grandes a fuego medio. Vierta el aceite y caliéntelo 30 segundos. Saltee la pasta de curry hasta que desprenda todo su aroma.

2. Añada el pollo, las hojas de lima y el limoncillo, y saltéelo bien 3 o 4 minutos, hasta que el pollo comience a tomar color. Incorpore la leche de coco y la berenjena y déjelo a fuego lento de 8 a 10 minutos, o hasta que la berenjena esté tierna.

3. Incorpore la salsa de pescado y sírvalo enseguida adornado con ramitas de albahaca tailandesa y hojas de lima kafir.

POLLO AL COCO Y LIMA

PARA 2 PERSONAS

la ralladura y el zumo
(jugo) de 1 lima (limón),
y unas cuñas para servir

2 cucharadas de salsa de
soja y 1 de azúcar moreno

4 muslos de pollo sin
hueso ni piel, y sal

2 cucharadas de aceite
de coco derretido

ENSALADA DE MANGO

1 mango maduro pelado,
deshuesado y en dados

1 guindilla (chile) roja
pequeña, sin pepitas y
en daditos

el zumo (jugo) y la ralladura
de ½ lima (limón)

1 manojito de hojas de
cilantro picadas y
1 puñado de coco
rallado tostado

PREPARACIÓN

1   Mezcle en un bol la lima, la soja y el azúcar. Añada el pollo, con
    la grasa recortada y en trocitos, remueva para que se impregne
    bien y déjelo macerar 1 hora (o 30 minutos si no tiene más
    tiempo). Incorpore el aceite de coco enfriado.

2   Para hacer la ensalada, mezcle todos los ingredientes. Tápela
    y déjela reposar para que los aromas se entremezclen.
    Precaliente el gratinador a temperatura media-alta. Si va a
    utilizar brochetas de madera, déjelas en remojo en agua unos
    20 minutos.

3   Ensarte el pollo en las brochetas y sálelo. Vierta el adobo que
    haya sobrado en un cazo y deje que hierva un par de minutos
    hasta que se espese.

4   Coloque las brochetas en una rejilla metálica con una bandeja
    debajo. Áselas bajo el gratinador de 10 a 12 minutos, dándole
    la vuelta y pintándolas de vez en cuando con el adobo, hasta
    que el pollo esté dorado, jugoso y bien hecho. Rocíe las
    brochetas con adobo y sírvalas con la ensalada de mango
    y cuñas de lima para aderezarlas.

GALLETAS VEGANAS

PARA 24 UNIDADES

80 ml/⅓ de taza de aceite de coco

90 g/½ taza de azúcar moreno claro

2 cucharadas de leche de soja

1 cucharadita de esencia de vainilla

125 g/1 taza y 1 cucharada de harina

100 g/1 taza de almendra molida

2 cucharadas de cacao en polvo puro

1 cucharadita de levadura en polvo

1 pizca de sal

65 g/2¼ oz de chocolate negro vegano troceado

PREPARACIÓN

1   Precaliente el horno a 180 °C (350 °F) y forre una bandeja grande con papel vegetal. En un bol grande, bata con las varillas eléctricas el aceite y el azúcar 5 minutos, o hasta obtener una crema blanquecina. Vierta la leche y la vainilla.

2   Mezcle la harina con la almendra molida, el cacao, la levadura y la sal. Échela en el bol y mézclelo bien. Incorpore el chocolate y remueva hasta que quede bien distribuido.

3   Forme 24 bolas con la masa y dispóngalas de forma espaciada en la bandeja. Aplánelas un poco con la palma de la mano. Hornéelas 12 minutos, o hasta que estén firmes por los bordes pero tiernas por el centro. Saque las galletas del horno y déjelas enfriar 5 minutos en la bandeja antes de pasarlas a la rejilla metálica para que se enfríen del todo.

50

ACEITE DE OLIVA

Bien conocido por sus grasas monoinsaturadas cardiosaludables, el aceite de oliva virgen extra también contiene una serie de compuestos vegetales de acción antioxidante y vitamina E.

*VALOR NUTRICIONAL DE
1 CUCHARADA DE ACEITE
DE OLIVA*

Calorías	130
Grasas	15 g
Proteínas	trazas
Hidratos de carbono	trazas
Fibra	trazas
Vitamina C	trazas
Potasio	trazas
Licopeno	trazas
Luteína/Zeaxantina	trazas

Las grasas que predominan en el aceite de oliva son monoinsaturadas, que previenen el colesterol que se deposita en las paredes de las arterias y, por tanto, previene cardiopatías y apoplejías. Además, la primera presión de las aceitunas (como en el caso del aceite de oliva virgen extra, sobre todo la «presión en frío») produce un aceite rico en compuestos vegetales beneficiosos. Estas sustancias previenen el cáncer y la hipertensión y reducen el colesterol, mientras que el oleocantal es un compuesto antiinflamatorio con una acción similar a la del ibuprofeno. El aceite de oliva también es una buena fuente de vitamina E.

- Regula el colesterol y previene cardiopatías.
- Rico en polifenoles, que previenen el cáncer de colon, entre otros.
- Ayuda a contrarrestar la acción de la bacteria *H. pylori,* que puede provocar úlceras de estómago.
- Acción antibacteriana y antioxidante.

Consejos prácticos:

Conserve el aceite de oliva en un lugar oscuro y consúmalo en el plazo de 2 meses una vez abierto el envase. Cómprelo en un establecimiento muy frecuentado donde no esté expuesto a la luz. Para disfrutar de todas sus propiedades, tómelo en frío en ensaladas, con pan u hortalizas. No cocine con aceite de oliva virgen extra a altas temperaturas, de lo contrario se perderían sus compuestos vegetales beneficiosos.

¿SABÍA QUE…?

La luz destruye buena parte de los compuestos saludables del aceite de oliva; al cabo de un año, el aceite envasado en botellas transparentes expuestas a la luz pierde un 30 % de los antioxidantes.

ACEITE A LA ALBAHACA

PARA 240 ML/1 TAZA

60 g/2 tazas de hojas
de albahaca

2 dientes de ajo partidos
por la mitad

240 ml/1 taza de aceite
de oliva

PREPARACIÓN

1   Lave la albahaca y séquela bien. Prepare un bol con agua bien fría.

2   En otra olla con agua hirviendo, eche la albahaca y escáldela 5 segundos. Retírela y sumérjala enseguida en el agua fría para detener el proceso de cocción. Escúrrala y estrújela para eliminar el máximo de agua posible. Colóquela entre papel de cocina para secarla bien. Trocéela y pásela a una jarra limpia. Añada el ajo.

3   Caliente un poco el aceite a fuego bajo 5 minutos, hasta se caliente y desprenda aroma. No deje que hierva o se queme. Apártelo del fuego y viértalo en la jarra sobre la albahaca. Déjelo enfriar, tápelo y guárdelo en el frigorífico. Retire la albahaca al cabo de 1 semana.

TARAMOSALATA

PARA 6 PERSONAS

225 g/8 oz de bacalao ahumado

1 cebolla pequeña en cuartos

1 cucharada de pan blanco recién rallado

1 diente grande de ajo majado

la ralladura y el zumo (jugo) de 1 limón grande

160 ml/$\frac{2}{3}$ de taza de aceite de oliva virgen extra

90 ml/6 cucharadas de agua caliente

pimienta, al gusto

aceitunas negras y alcaparras, para adornar

PREPARACIÓN

1 Retire la piel del bacalao. Ponga la cebolla en el robot de cocina y píquela. Añada el pescado troceado y tritúrelo hasta que esté homogéneo. Añada el pan rallado, el ajo y la ralladura y el zumo de limón, y mézclelo bien.

2 Con el motor en marcha, incorpore el aceite poco a poco. Cuando haya añadido todo el aceite, incorpore el agua. Sazone con pimienta.

3 Pase la mezcla a un bol y refrigérela al menos 1 hora antes de servirla. Sírvala adornada con aceitunas y alcaparras.

TALLARINES AL PESTO

PARA 4 PERSONAS

450 g/1 libra de tallarines

sal

ramitas de albahaca,
para adornar

PESTO

2 dientes de ajo

40 g/¼ de taza de piñones

45 g/1½ tazas de hojas
de albahaca

120 ml/½ taza de aceite
de oliva

45 g/½ taza de parmesano
para vegetarianos recién
rallado

sal, al gusto

PREPARACIÓN

1   Para preparar el pesto, triture el ajo, los piñones y sal en el robot de cocina o la batidora. Añada la albahaca y tritúrelo hasta obtener una pasta. Con el motor todavía en marcha, vaya añadiendo el aceite en un chorrito. Pase el pesto a un bol, añada el queso y bátalo. Sálelo al gusto.

2   Ponga a hervir agua con sal en una olla grande. Eche la pasta y, cuando el agua vuelva a romper el hervor, cuézala al dente de 8 a 10 minutos. Escúrrala bien, póngala de nuevo en la olla y añada la mitad del pesto. Repártala entre los platos con un poco más de pesto sobre cada porción. Adorne el plato con albahaca y sírvalo enseguida.

ÍNDICE ANALÍTICO